Marion van de Coolwijk

Uitgeverij
De Fontein

www.defonteinkinderboeken.nl
www.marionvandecoolwijk.nl

© 2010 Marion van de Coolwijk
Voor deze uitgave:
© 2010 Uitgeverij De Fontein, Baarn
Omslagafbeeldingen:
meisje © James Woodson (Getty Images)
ober © Tim Pannell/Corbis
Beeldbewerking en omslagontwerp: Miriam van de Ven BNO
Grafische verzorging: Hans Gordijn

ISBN 978 90 261 2808 0
NUR 284, 285

Tafel 7: 3 cola!

Salade à la Bartje

'Ik ga!' Rik stak zijn hoofd om de hoek van de keukendeur. 'Duim je voor me?'

'Doe ik.' Zijn vader legde de lepel waarmee hij in de pan aan het roeren was neer. 'Zet 'm op!'

Rik knikte. De zenuwen die hij het afgelopen uur door zijn lijf voelde gieren, waren nu op hun top. Zijn okselklieren werkten al helemaal niet mee. Het zweet liep in straaltjes langs zijn lichaam naar beneden. Hij duwde zijn neus in de katoenen stof van zijn shirt en snoof.

'Angstzweet?' Zijn moeder kwam de trap af.

Rik liep de gang in en griste zijn jack van de kapstok.

'Doe niet zo stom.'

Zijn moeder glimlachte. 'Je ziet er keurig uit voor een sollicitatiegesprek.'

'Mam!' Rik gromde.

'Oké, oké, ik zeg al niets meer.' Ze draaide zich om en liep naar de kamerdeur. 'Tot zo! We wachten wel met eten. Kun je ons straks alles verte–'

Rik smeet de voordeur achter zich dicht. Kon zijn moeder nu niet heel even haar mond houden? Dat gebabbel maakte hem alleen maar nerveuzer. Sollicitatiegesprek... pfff! Het ging hier om een afwasbaantje, niet om een ministerspost.

Heel even had Rik getwijfeld toen hij door de eigenaar van restaurant Lekker telefonisch werd uitgenodigd voor een gesprek. Die had zijn brief gelezen en was onder de indruk van zijn motivatie. Hij wilde Rik graag een keer spreken. 'Woensdagavond halfvijf,' had hij er meteen achteraan gezegd. 'Schikt dat?'

Rik had instemmend gemompeld en opgehangen. Motivatie. Alleen het woord al. Toen hij twee weken geleden een open sollicitatiebrief in elkaar aan het knutselen was, had zijn moeder hem op het hart gedrukt om vooral zijn beweegredenen in de brief te vermelden. 'Motivatie, heet dat,' zei ze. 'Werkgevers zijn gek op gemotiveerde mensen, dus schrijf er maar bij dat je heel graag een baantje wilt en dat het werk in een restaurant je al van jongs af aan aanspreekt.'

'Ja, duh,' had hij boos geroepen. 'Doe het lekker zelf.'

Tja, en dat had hij beter niet kunnen zeggen. Zijn moeder had hem van de stoel gebonjourd en was zelf gaan zitten. 'Je begint met jezelf voor te stellen,' zei ze en haar vingers bewogen razendsnel over het toetsenbord.

'Dat heb ik al gedaan,' probeerde hij nog, maar zijn zin 'Hoi, ik ben Rik de Boer' was al gedeletet. In plaats daarvan kwam er een zin van wel drie regels waarin eigenlijk precies hetzelfde stond.

'Je moet het een beetje aankleden,' ging zijn moeder

onverstoorbaar verder. 'Zo, en dan vertel je nu waarom je wilt werken.' Ze keek hem vragend aan.

Rik haalde zijn schouders op. 'Voor het geld natuurlijk.'

'Dat zet je niet in een sollicitatiebrief,' zei zijn moeder.

'Maar het is wel zo.'

'Verzin iets anders.'

'Ja, weet ik veel!' Rik sloeg zijn armen over elkaar. Hier had hij geen zin in.

De vingers van zijn moeder vlogen al weer over het toetsenbord. Rik las de woorden mee. 'Ik ben iemand die van aanpakken houdt en ik interesseer mij voor uw bedrijf.' Hij zuchtte. 'O ja? En gisteren zei je nog dat ik een luie donder was die zich voor niets interesseerde.'

Zijn moeder glimlachte. 'Is ook zo, maar dat hoeft je toekomstige werkgever niet te weten. Het gaat er nu om dat een bedrijf je uitnodigt voor een gesprek. In een gesprek kun je jezelf veel beter verkopen.'

'Mam, het gaat hier om een afwasbaantje of vakken vullen in de supermarkt.'

'Heb je al een lijst van bedrijven waar je de brief heen wilt sturen?' ging zijn moeder onverstoorbaar verder.

'Eh... nee.'

Ze knikte. 'Goed, dan maken we deze brief samen af en daarna gaan we in het telefoonboek adressen zoeken van bedrijven hier in de buurt.'

'Mam, ik ben vijftien. Dan mag je gewoon nog niet zoveel.'

'Er zijn genoeg supermarkten en restaurants die jou kunnen gebruiken.'

Rik hield zijn mond. Als zijn moeder eenmaal op dreef was, was er geen houden meer aan.

Die avond gingen er negen brieven de deur uit. Rik had zijn moeder ervan kunnen overtuigen dat dat meer dan genoeg was. Hij kon maar één baantje aannemen. Eerst maar eens afwachten of er gereageerd werd.

Dat de eigenaar van restaurant Lekker meteen de volgende avond al belde, had hem verbaasd.

'Zie je wel,' had zijn moeder geroepen. 'Die brief werkt! Alleen nog even een gesprekje en dan heb je je baantje.'

Rik fietste de Hoofdweg over. 'Alleen nog even een gesprekje...' De woorden van zijn moeder klonken wel erg simpel. Alsof hij iedere dag sollicitatiegesprekken voerde. Rik had er vannacht niet van geslapen. De hele dag op school had hij zich voorbereid op dit gesprek. De lessen waren aan hem voorbijgegaan en zelfs zijn vrienden hadden gevraagd wat er was, omdat hij zo afwezig was.

Natuurlijk had hij hun niets verteld. Stel je voor dat het niets werd. Moest hij iedereen ook weer vertellen dat het niet doorging. Nee, hij zou pas iets vertellen als hij echt een baan had.

Peter, een van zijn beste vrienden, werkte al een paar weken bij een chinees. Afwassen, dat wel, maar het verdiende vijf euro per uur. Dat was superveel. En Marjolein, een meisje uit zijn klas, werkte bij een cateringbedrijf. Dat was helemaal top. Zij kreeg zelfs een euro meer per uur, vertelde ze. Bijna iedereen in zijn klas had een baantje. Alleen hij en Jonas niet. Maar Jonas hoefde niet. Zijn ouders hadden geld zat. Tenminste... dat vertelde hij aan iedereen die het maar horen wilde. 'Werken is voor watjes,' riep hij dan. 'Ik krijg mijn zakgeld niet eens op, dus waarom zou ik een baan zoeken?'

Rik was vorige maand vijftien geworden en wilde maar wat graag werken. Zijn zakgeld was vaak na een paar dagen al op, dus wat extra geld zou welkom zijn.

Hij reed over de dijk in de richting van de haven. Het was vrij warm voor de tijd van het jaar. Hier en daar kwamen de narcissen al op. Rik ging rechtop zitten en haalde diep adem. Voorjaarslucht rook vrolijk.

Restaurant Lekker lag aan de kleine haven aan de rand van de stad. Rik had er wel eens gegeten met zijn ouders, jaren geleden. Veel herinnerde hij zich er niet meer van, maar zijn vader had gezegd dat het een goed restaurant was en dat de eigenaar, Ted Greuter, een aardige man was. Dat had hij dan weer gehoord van de buurman van een van zijn collega's.

Tja, tegen zo veel logica kon Rik niet op, dus had hij, op aanraden van zijn vader een van de negen brieven naar restaurant Lekker gestuurd.

'Minstens vijf euro per uur vragen,' had zijn vader gezegd. 'Voor minder werkt een De Boer niet.'

Bij het laatste stoplicht sloeg Rik rechts af. Restaurant Lekker lag verscholen achter de vele plezierjachten die in de haven lagen. Rik volgde de borden langs de kant van de weg en reed het parkeerterrein op dat zich naast het restaurant bevond. Het was nog vroeg in de avond. De parkeerplaats was, op een paar auto's na, leeg.

Rik zette zijn fiets in het fietsenrek en trok zijn shirt recht. Ondertussen bekeek hij het gebouw aandachtig. De zenuwen gierden door zijn keel. Dit was best een mooi restaurant. Alleen de ingang al. Twee enorme potten vol bloemen markeerden de deur. Een rode loper lag keurig recht tussen de potten uitgerold in de richting van de parkeerplaats. Rik keek naar zijn bevuilde schoenen. Oeps, als er maar geen klodders aarde op het kleed achterbleven. Om binnen te komen móést je over het kleed. Rik haalde diep adem. De voorjaarslucht was opeens een stuk minder vrolijk.

Er klonk gelach achter de schutting en Rik hoorde een meisjesstem. 'Ben je belazerd! Dat doe je zelf maar.'

Het Amsterdamse accent was onmiskenbaar. Rik glimlachte. Om bij dit restaurant te werken hoefde je dus niet bekakt te praten. Dat scheelde. Hij stapte de rode loper op en liep naar de ingang. Voorzichtig duwde hij tegen de glazen deur. Meteen stond hij stil. De deur leek op slot te zitten. Weer duwde hij, maar er gebeurde niets.

Rik deed een stap achteruit en bekeek de gevel. Hing er ergens een briefje met openingstijden? In een flits keek hij op zijn horloge. Halfvijf. Hij was precies op tijd. Zou het restaurant misschien nog gesloten zijn? Moest hij achterom? Hij keek om zich heen, maar zag geen andere toegangsmogelijkheid. Gek. Ze wisten toch dat hij zou komen?

Het meisje aan de andere kant van de schutting lachte weer. Rik besloot haar hulp te vragen.

'Hallo! Mag ik iets vragen?'

Het werd meteen stil. Even later klonk er gefluister.

'Kan iemand mij zeggen hoe laat dit restaurant opengaat?' Riks stem klonk schor. Hij had geen idee tegen wie hij sprak, maar hij wist nu dat er iemand luisterde.

'We zijn al open,' zei een mannenstem.

'Maar de deur zit nog dicht,' antwoordde Rik.

'Trekken!' riep de meisjesstem. 'Dombo,' hoorde Rik haar er zachtjes achteraan zeggen.

Hij keek naar de deur en kon wel door de grond zakken.

Hij pakte het handvat van de deur en trok. De deur vloog open.

'Bedankt,' riep hij.

Er klonk gegiechel.

Rik stapte naar binnen. Dit was niet echt een goed begin. Als het een voorteken was voor het al dan niet slagen van de avond, dan kon hij het wel schudden.

De hal van het restaurant was prachtig. Een witte bar liep halfrond weg tegen de linkermuur. Boven de bar hingen rijen met glazen. Een enorme biertap sierde de zijkant en was een echte blikvanger. Rik deed een paar stappen naar voren. Achter de bar stond een jongen van een jaar of twintig. Hij propte een doek in een bierglas en draaide het glas rond. Zijn ogen draaiden, zo te zien, de rondjes mee. Verbaasd keek Rik naar de jongen die, geconcentreerd als hij was, het schone glas voorzichtig in het rek boven hem hing.

'Dag,' zei Rik.

'Dag,' antwoordde de jongen die onverstoorbaar een nieuw glas oppakte. 'Ik ben Bartje. Bartje helpt mee.'

'Ik zoek meneer Greuter,' zei Rik die wat verbaasd naar de jongen keek. Hij praatte wel erg kinderlijk.

De jongen fronste zijn wenkbrauwen, maar zei niets.

'Meneer Greuter?' herhaalde Rik zijn verzoek.

'Die is even weg. Ik ben Bartje,' zei de jongen weer en zijn mond trok een beetje scheef. 'Ik maak de glazen mooi.'

Rik raakte geïrriteerd. Eerst het gegiechel achter de schutting en nu deze flapdrol. 'Fijn voor jou,' zei hij kribbig. 'Maar ik –'

Verder kwam hij niet. 'Dat noem je poleren,' sprak de jongen rustig verder. 'Wil je weten hoe dat gaat? Bartje weet het precies. Bartje heeft dat geleerd uit een boek.'

'Nou nee, ik heb een afspraak met –'

De jongen ging onverstoorbaar verder. Zijn stem klonk alsof hij een passage uit een boek voorlas. 'Houd het glas boven het hete water. Niet erin! Nee, erboven.'

Rik zuchtte. Dat schoot niet echt op. Zouden hier allemaal van die debielen werken? Of was dit gebruikelijk? Dag, ik ben Rikje en ik was af. Hij glimlachte. Misschien kon hij beter rechtsomkeert maken. Dit werd niets.

'Laat het glas vanbinnen en vanbuiten, inclusief het voetje, goed beslaan door de hete stoom.' Bartje hield het wijnglas boven de bar voor hem. Nieuwsgierig ging Rik op zijn tenen staan en keek achter de barrand naar een bak water die inderdaad flink stoomde.

'Neem de punt van de doek in je linkerhand en stop daar het voetje in,' ging Bartje verder. Hij voegde de daad bij het woord. Rik zag dat hij geroutineerd de andere punt van de doek zover mogelijk in het glas propte. 'Stop de duim van je rechterhand in het glas zonder druk te zetten op de rand,' vervolgde Bartje. 'Draai het glas rond en zorg dat je vier andere vingers de buitenkant van het glas poetsen. Laat het voetje door je linkerhand glijden. Zo wordt het voetje ook schoon. Let ook op de bodem van het glas. Controleer het glas na afloop tegen het licht.'

Gebiologeerd staarde Rik naar de bewegingen van die vreemde jongen. Elk woord dat hij zei maakte hij waar met zijn handen. Binnen een paar seconden hing er weer een blinkend schoon glas in het rek.

'Knap van Bartje, hè?' De jongen keek trots.

Rik kon niet anders doen dan knikken. Dat fijne glas in die grove knuisten. Het was een wonder dat het glas niet stukging.

'Meneer Greuter komt eraan,' zei Bartje en hij wees naar de ingang van de eetzaal. Een man, met een zwart overhemd aan en zwarte sloof voor, kwam de gang in gelopen. Hij droeg een zilveren schaal waarop een enorme vis lag. De schaal steunde op zijn schouder waardoor Rik het gezicht van meneer Greuter net niet kon zien. De vis keek hem mistroostig aan.

13

Rik aarzelde. Hij kon nu nog terug. Als hij snel was, kon hij ongezien naar buiten toe. Zijn weifeling duurde te lang. Bartje zwaaide en wees naar Rik. 'Voor u, meneer,' zei hij.

De vis zakte en een kaal hoofd kwam tevoorschijn. 'Rik de Boer?'

Rik knikte. 'Ja, meneer.'

'Als je even wacht,' zei meneer Greuter. 'Ik breng even deze dame naar de keuken en dan kom ik bij je.'

Terwijl de man achter de bar langs liep en door twee klapdeuren verdween, gebaarde Bartje dat Rik op een van de krukken aan de bar mocht plaatsnemen. Rik ging zitten en voelde zijn hart in zijn keel kloppen. Wat een rommelig begin. Dit kon nooit iets worden.

Bartje ging verder met zijn poleerwerk en Rik keek geïnteresseerd toe. Gelukkig was afwassen iets heel anders dan dit gedoe met glazen. Van wat hij van Peter had gehoord moest je de borden eerst afspoelen met een grote spuit. Een soort douche aan een slang. Daarna zette je ze in de afwasmachine en uiteindelijk moest je ze weer netjes in de kasten zetten. Best makkelijk.

Een jongen van een jaar of twintig kwam de eetzaal uit en liep naar de hoek van de bar waar een kassa stond. Rik zag hem iets aanslaan; er kwam een bonnetje uit het apparaat. De jongen pakte een leren mapje en stopte het bonnetje erin. Daarna verdween hij weer naar de eetzaal.

'Zo, Rik. Excuus dat je even moest wachten.' Meneer Greuter kwam naar hem toe gelopen en stak zijn hand

14

uit. Heel even aarzelde Rik en meneer Greuter moest lachen. 'Ik heb ze gewassen, hoor.'

Rik gaf de man een hand. 'Dag, ik ben Rik de Boer.' Bij het uitspreken van de woorden, bedacht hij zich dat meneer Greuter dat al lang wist. Stom!

'Ted Greuter, je mag Ted zeggen. Doen ze hier allemaal, toch Bartje?' Hij draaide zich om naar Bartje die zenuwachtig knikte. 'Ja, meneer Greuter.'

'Zie je wel?'

Rik zag dat meneer Greuter zich amuseerde. 'Bartje helpt mee aan de koude kant,' hoorde Rik hem zeggen.

'De koude kant?' vroeg hij.

'Alles wat koud is,' legde meneer Greuter uit.

'Niets daarvan,' riep Bartje. 'Dit water is heel heet.'

Meneer Greuter knipoogde naar Rik. 'Ja, Bartje, het water is heet, maar jij doet toch de koude kant. Zo heet dat.'

'Oké, yes sir!' Bartje salueerde. 'Koude kant is alles wat koud is in een restaurant. Sla, garnering, toetjes. Dat doe ik.'

'Wil je wat drinken?' Meneer Greuter draaide zich om. 'Bartje, mag ik van jou een cola en een...' Hij keek vragend naar Rik.

'Eh... ook een cola alstublieft.'

'Twee cola,' zei meneer Greuter. 'Breng het maar naar mijn kantoor.' Hij gebaarde dat Rik mee mocht lopen.

De kleine ruimte die als kantoor dienstdeed bevond zich aan de andere kant van de hal. Rik ging zitten en wachtte geduldig tot Bartje de twee cola had gebracht en meneer Greuter ook was gaan zitten.

'Zo, Rik de Boer, dus jij wilt hier komen werken.'

'Ja, meneer.'

'Ted, zeg maar Ted. Doen ze hier allemaal.'

Rik zweeg.

'Heb je al eens eerder ergens gewerkt?'

'Nee, meneer... eh... Ted.'

'Zo, zo, je eerste baantje.' Ted rommelde wat in een stapel papieren. 'Je hebt een geweldige brief geschreven.' Hij keek op. 'Zelf geschreven?'

'Niet echt,' bekende Rik. 'Mijn moeder vond...'

'Ja, ja, die moeders van tegenwoordig weten het allemaal heel goed. Voor je het weet hebben ze alles voor je geregeld.'

Rik moest lachen om het grappige toontje van Ted. 'Ja,' zei hij. '*Mother rules.*'

Ted lachte. 'Je bent vrij direct, daar hou ik wel van.' Hij bekeek Rik van top tot teen. 'En je ziet er ook goed verzorgd uit. Ben je echt pas vijftien?'

Rik knikte.

'Hmm, ik denk dat ik je in de bediening zet. Ik kan wel een jongen gebruiken tussen al die meiden. En nu Danny weggaat... Lijkt je dat wat?'

Rik was even van zijn stuk gebracht. Bediening? Dat je met borden en glazen moest lopen naar de mensen aan de tafeltjes? Mocht dat dan al met vijftien?

'Je lijkt verbaasd,' zei Ted.

'Ja, ik dacht dat je altijd bij de afwas begon.'

'Niet altijd, hoor! Het ligt er maar aan wat je kan en hoe je je presenteert. Proberen?'

'Is goed,' zei Rik zo nonchalant mogelijk.

'Wanneer kun je beginnen?'

'Eh... nu?' Rik glimlachte als teken dat het een grapje was.

Ted trok een papier uit zijn la. 'Mooi, zo mag ik het horen. Zo snel mogelijk dus.' Hij gaf het papier aan Rik. 'Als je dit nu thuis invult, een kopietje maakt van je ID-kaart en morgen inlevert, dan kun je morgenavond gelijk beginnen. Ik geef je een nulurencontract.'

Rik keek vragend.

Ted legde het uit. 'Een nulurencontract is dat je wel bij mij op de loonlijst komt, maar niet voor een vast aantal uren. Ik kan je oproepen wanneer ik wil en dan betaal ik de daadwerkelijk gewerkte uren. Voordeel is dat jij ook een keer nee kunt zeggen als je niet kunt. Je zit tenslotte nog op school.'

Het drong direct tot Rik door dat het ook een nadeel had. Met een nulurencontract hoefde Ted hem niet op te roepen als het stil was in het restaurant. Hij zou dan niets verdienen.

Het leek wel of Ted zijn gedachten kon raden. 'Natuurlijk zorg ik ervoor dat je ieder weekend kunt werken. Het is behoorlijk druk de laatste tijd, dus maak je geen zorgen. Jij draait best wat uurtjes hier.'

Rik knikte, maar zei niets.

'Gefeliciteerd dan maar,' zei Ted.

'Is dat alles?' vroeg Rik. Het ging wel erg snel. Het

gesprek had nog geen tien minuten geduurd en hij was aangenomen in de bediening?

'Ja, wat mij betreft wel. Of je moet nog willen weten wat je gaat verdienen?'

'Eh... ja, ja...' Rik was compleet overdonderd. Hij had niet gedacht dat het allemaal zo makkelijk zou gaan.

'Drie euro vijftig om te beginnen.'

'Per uur?' Rik was teleurgesteld.

'Ja, wat dacht jij dan? Per minuut?'

Rik grijnsde, maar het ging niet van harte. Peter verdiende vijf euro per uur bij de chinees. Met afwassen. Bedienen zou toch meer op moeten leveren, of in ieder geval hetzelfde?

'Als je goed bent, krijg je opslag,' ging Ted verder, alsof hij zijn gedachten kon lezen. 'Je moet je eerst maar eens bewijzen. Danny is vanavond voor het laatst. Gaat op kamers in Leiden. Jammer, want hij was goed. Beetje stug, maar goed.' Ted gaf Rik een schouderklopje. 'Je hebt het zelf in de hand hier. Ben je goed, verdien je ook goed. Mee eens?'

Rik knikte. Dat was een prima plan. Het vooruitzicht dat hij niet hoefde af te wassen, maar meteen in de bediening mocht helpen, trok hem wel. En als hij zijn best deed, werd het vanzelf vijf euro per uur of meer.

Ted was zichtbaar blij dat het geregeld was. 'Ik geef je onze reglementen en arbeidsvoorwaarden mee. Laat die maar aan je ouders lezen. Als je het ermee eens bent, zie ik je morgenmiddag om vijf uur terug, goed? Ik zorg voor de juiste kleding.'

Ted stond op om aan te geven dat het gesprek beëindigd was.

Rik pakte de papieren aan en gaf hem een hand. 'Oké, bedankt! Tot morgen.'

Ted glimlachte en samen liepen ze het kantoor uit.

Entree arrogant

Het was woensdagmiddag en Rik zat in zijn kamer aan zijn bureau. Hij was meteen na school naar huis gefietst. Hij had best nog wel wat huiswerk. Als hij vanavond wilde werken, moest dat af zijn.

Zijn ouders waren gisteravond net zo verbaasd geweest als hij. Dat het zo gemakkelijk ging, hadden ze niet gedacht. Toch kwamen er ook wat bezwaren naar voren.

'Je huiswerk mag er niet onder lijden. Je komt nu vast later thuis. De bediening werkt vaak langer,' had zijn vader gezegd.

'Mag je als vijftienjarige eigenlijk wel in de bediening werken?' vroeg zijn moeder zich hardop af. 'Hoe zit dat met alcohol?'

'Mam!' Riks vrolijke bui was in één klap verdwenen. 'Je ziet weer spoken. Ik ga daar echt niet zitten zuipen, hoor!'

'Dat bedoel ik niet,' reageerde zijn moeder. 'Volgens mij mag je in een werkomgeving waar alcohol wordt geserveerd niet werken.'

'Dat is dan de zorg van Ted,' zei zijn vader. 'Die man weet heus wel wat hij doet.' Hij sloeg een arm om Riks schouders. 'Ik ben trots op je. Wie heeft nu meteen een baan in de bediening?'

Rik twijfelde. 'Als ik het maar kan.'

'Tuurlijk kun je het,' zei zijn vader lachend. 'Dat zit in je genen. Wist je dat ik vroeger menig biertje heb getapt?' Het uur daarna had hij de sterke verhalen van zijn vader aan moeten horen, maar hij was blij dat de aandacht was afgeleid van de alcoholdiscussie.

Rik sloeg zijn wiskundeboek dicht. 'Klaar,' mompelde hij en hij leunde achterover. Hij had nog precies een halfuur voordat hij weg moest. Vanavond was Het Moment. Hij was benieuwd wie er nog meer in het restaurant werkten. De stemmen achter de schutting waren van een man en een meisje. Dan had je Bartje en Ted zelf nog, maar er werkten vast nog meer mensen. Dat moest wel. Het restaurant was behoorlijk groot. Samen met zijn vader had hij de website van het restaurant bekeken. Er was een bistrozaal, een terras aan het water en een privézaal voor grote partijen, zoals bruiloften. Alleen al in de keuken zouden wel heel wat mensen werken.

Rik stond op en liep naar zijn kast. Volgens de reglementen moest hij een zwarte broek aan en zwarte schoenen. Hij dook in de stapel kleren. Een zwarte broek moest hij nog wel ergens hebben. Schoenen werden een probleem. Het enige paar dat een beetje donker oogde was al oud. Het moest maar. Als het werk beviel, mocht hij nieuwe schoenen kopen, had zijn moeder gezegd. Voorlopig moest hij het even met zijn oude doen.

Rik hield zijn shirt aan. Hij zou een overhemd en sloof met embleem van het restaurant krijgen vanavond, dus dat was geregeld. Wel stoer!

Even later liep hij de trap af. 'Mam, ik ga!'

Zijn moeder kwam de gang in gelopen. 'Nou, veel plezier. Zet 'm op!'

Uit de keuken kwam een heerlijke geur. Rik snoof. 'Mmm, wat eten we?'

'We?' Zijn moeder keek verbaasd. 'Jij eet toch niet mee?'

Rik realiseerde zich dat zijn moeder gelijk had.

'Ik neem aan dat jij daar een hapje eet,' zei zijn moeder.

'Dat... dat weet ik eigenlijk niet,' stamelde Rik die zijn maag voelde rammelen. 'Ik hoop het wel.'

Zijn moeder dook de gangkast in en gaf hem een verpakte koek. 'Hier, stop die maar in je zak. Je weet maar nooit.'

Rik stopte de koek in zijn jaszak. 'Thanks! Nou, ik ga!'

Hij gaf zijn moeder een zoen en ging naar buiten. Even later fietste hij de straat uit. De heerlijke etensgeuren zweefden nog in zijn neus. Stom dat hij daar helemaal niet aan gedacht had. Hij kon zich niet voorstellen dat hij de hele avond niets meer te eten en te drinken kreeg. Nee, dat kon gewoon niet. Personeel moest toch ook eten?

In gedachten verzonken fietste hij naar de haven. De smalle toegangsweg stond vol met geparkeerde auto's van mensen die met hun bootjes in de weer waren. Rik fietste er behendig langs.

Vlak achter hem hoorde hij getoeter. Van schrik slingerde hij opzij, waar net een grote bolide stond.

PATS!

Riks arm knalde langs de spiegel. Met een vertrokken gezicht probeerde hij zijn stuur recht te houden. Een snijdende pijn schoot door zijn arm. Heel even keek hij achterom en zag dat de spiegel nog aan de auto zat. Gelukkig!

Iemand op een scooter haalde hem in. Door de helm kon Rik het gezicht niet zien, maar de lange blonde haren waren onmiskenbaar vrouwelijk. De ruimte om te passeren was minimaal. Rik moest zijn uiterste best doen om het stuur van de scooter niet te raken. 'Hé, kijk uit, ja!' riep hij boos.

Het meisje stak haar hand op. 'Gaat makkelijk, man.' Ze slingerde wat heen en weer en botste bijna tegen een auto aan. Met haar voet kon ze zich nog net op tijd afzetten tegen de zijspiegel die op de grond viel. Zonder om te kijken scheurde ze in een hogere versnelling verder.

Rik stuurde naar links, omzeilde de spiegel die op de weg lag en ging midden op de weg rijden. Pff, dat ging maar net goed. Wat een aso, zeg!

De parkeerplaats van het restaurant stond al aardig vol met auto's. Het was drukker dan gisteren. Rik zette zijn fiets in het fietsenrek. Zijn oog viel op de scooter naast het fietsenrek. Die bestuurster die hem zojuist bijna van zijn fiets had gereden zat dus in het restaurant. Lekker dan! Moest hij die griet vanavond nog bedienen ook.

Rik stapte naar binnen. 'Dag, Bartje,' zei hij toen hij de bekende verschijning achter de bar zag staan.

'Dag!' riep Bartje, terwijl hij een glas onder de tap hield. Het bier stroomde in het glas. Net op tijd haalde hij de hendel over en het schuim kwam omhoog in het glas om vervolgens net voor de rand te stoppen.

Rik liep naar het kantoor van Ted. De deur stond open en Ted stond voor zijn bureau. 'Dag, daar ben ik dan,' zei Rik en hij bleef half in de deuropening staan. In zijn hand hield hij de envelop met het contract en de kopie van zijn ID-kaart.

Bij het horen van Riks stem draaide Ted zich om. 'Ha, die Rik. Fijn dat je er bent. Het is druk, dus je kunt meteen aan de bak.'

Hij pakte de envelop aan, legde die op zijn bureau en liep meteen door naar de kast in de hoek. 'Hier, trek die maar aan.' Een zwart overhemd kwam Riks kant op.

'Hier?' Rik aarzelde. Moest hij zich in dit kantoor omkleden?

'In de kleedkamer,' zei Ted met een lach. 'Derde deur links achter de bar langs. Daar zijn ook kluisjes voor je mobiel en andere spullen.'

'En dan?' Rik kreeg opeens de kriebels. Hij werd toch zeker wel wegwijs gemaakt in het restaurant? Een kleine rondleiding of zo?

'Wat dacht je van werken?' Teds glimlach was niet

24

meer zo krachtig. 'Ik ben even bezig met wat administratie. Kleed je om en vraag aan Tiny maar wat je kunt doen. Zij geeft je ook een sloof.'

'Tiny?'

'Lange vrouw, blond haar, grote neus... dat is Tiny. Je vindt haar vanzelf. Zij regelt alles met je. Enne...' Ted wachtte even. 'Als iemand naar je leeftijd vraagt, ben je zestien, oké?'

Rik aarzelde, maar omdat Ted zich al weer had omgedraaid, restte hem geen andere keus dan het kantoor te verlaten. Wat onwennig zocht hij zijn weg naar de kleedkamer. Had zijn moeder toch gelijk.

'Rik?' Een vrouw van een jaar of dertig ving hem op toen hij uit de kleedkamer tevoorschijn kwam.

Rik knikte en keek gefascineerd naar haar enorme neus. 'Eh... u bent vast Tiny.'

Tiny schoot in de lach. 'Heeft Ted het weer eens over mijn neus gehad?'

Verlegen sloeg Rik zijn ogen neer.

'Geeft niets,' ging de vrouw verder. 'Ik ben het wel gewend. Ik zit er niet mee.' Ze boog voorover en bracht haar hand naar haar mond. 'Ik ben toch al getrouwd,' fluisterde ze in zijn oor.

Rik glimlachte, maar zei niets.

'Ted zei dat je kon bedienen. Fijn! Zie je dat blad met drankjes? Dat moet naar tafel acht.'

Ze wees naar een papier dat achter de bar hing. 'Tafel acht staat bij het raam. Kijk maar even. Het is heel logisch. Tafel één is bij de deur, dan loopt het zo langs de muur van tafel twee tot tafel zes. Voorbij de terrasdeur gaat het dan verder. Snap je?'

Rik knikte. Tot nu toe kon hij het nog volgen. 'En het terras?' vroeg hij.

Tiny gaf hem een klap op zijn schouder. 'Assertief, hoor!' Ze lachte en Rik zag dat haar tanden schots en scheef stonden. Hij zag dat ze niet bepaald moeders mooiste was, maar ze had iets komisch. Iets waardoor je haar gelijk mocht.

Ze ratelde verder. 'Het terras is verdeeld in kleuren. Kijk maar naar de tafels. Iedere tafel een eigen kleur. Handig, hè? Heb ik bedacht.'

Rik schoot in de lach. 'Inderdaad,' zei hij en het was of er een last van zijn schouders viel. 'Erg slim.'

Tiny liep naar de bar en pakte een zwarte sloof van de plank. 'Hier, die is voor jou. Wees er zuinig op. Net als op je hemd. Zelf wassen, strijken en mooi houden.'

Het gezicht van Rik betrok.

'Ik zie het al,' ging Tiny verder. 'Niet je sterkste punt, zeker?'

Rik haalde zijn schouders op. 'Ik krijg mijn moeder wel zo gek.'

'Mooi!' Tiny gaf de sloof aan Rik en wees op het dienblad. 'En nu hup, naar tafel acht. Die mensen verdrogen.'

Rik knoopte de sloof om zijn middel. Niet te strak, want de stof bedekte zijn benen tot aan zijn enkels.

'Ik stel je straks voor aan de rest van het personeel,' zei Tiny. 'Het is nu even heel hectisch in de keuken.'

Even later schoof Rik het dienblad met drankjes op zijn rechterarm. De glazen en flesjes wiebelden iets, maar het lukte. Met zijn linkerhand hield hij het dienblad vast en zo ontspannen en rustig mogelijk liep hij de zaal in.

Aan tafel acht zat een groot gezelschap. Rik naderde de tafel en vroeg zich af hoe hij de drankjes van het blad kreeg, zonder te knoeien. Het was duidelijk dat de tafel compleet bedekt was met servies en bestek. Hij kon zijn blad nergens neerzetten.

Zenuwachtig arriveerde hij bij de kop van de tafel. 'Uw drankjes,' zei hij zo rustig mogelijk, maar hij voelde zijn hart in zijn keel kloppen.

'Ha, eindelijk,' riep een man met een grote snor. 'Je moest het zeker nog brouwen?'

Een bulderende lach klonk door de zaal. De man was duidelijk de leider van de groep, bedacht Rik.

'Bier?' zei hij, terwijl hij een van de glazen bier oppakte. Het gewicht van het dienblad verplaatste zich en Rik verschoof zijn arm. Het ging goed. Terwijl hij een voor een de drankjes uitserveerde lette hij op het dienblad. Het laatste glas wijn was voor de vrouw die naast de snor zat.

'En een wijn voor u, mevrouw,' zei Rik opgelucht. Het was gelukt!

'Ben jij nieuw hier?' vroeg de vrouw.

Rik knikte. 'U bent mijn eerste klant, mevrouw.'

'Dat dacht ik al.' De vrouw wendde zich af en hief haar glas. 'Op onze vriendschap, jongens!'

27

Het gezelschap volgde haar voorbeeld en herhaalde de proost. Rik stond er wat verloren bij.

'Je kunt gaan, hoor!' zei de vrouw toen ze een slok wijn had genomen.

Rik deed een stap naar achteren en liep terug naar de bar. 'Wat een bitch, zeg!' mompelde hij terwijl hij het dienblad op de bar terugzette.

'Mevrouw Keulemans van Beunen,' zei Bartje. 'Deftige dame.'

'Pff, deftig?' reageerde Rik boos. 'Arrogant zul je bedoelen. Je had die kop moeten zien toen ze...'

'Rik?'

Rik draaide zich om en keek recht in het gezicht van Tiny.

'Als je hier wilt blijven werken, moet je één ding goed in je oren knopen. Alle klanten worden gerespecteerd en er valt geen negatief woord over ze binnen deze muren. Begrepen?'

Wat verlegen knikte Rik haar toe. Net op het moment dat hij wat wilde zeggen, boog Tiny naar voren en fluisterde: 'Maar als je je hart wilt luchten over dat kreng, kan dat in de keuken.'

Heel even was Rik van zijn stuk gebracht, maar toen hij de twinkeling in Tiny's ogen zag, begreep hij dat zij net zo'n hekel aan die vrouw had als hij.

'Begrepen!' antwoordde hij.

Bartje klapte in zijn handen. 'Goed zo. Bartje en Rik mogen niet boos doen. Bartje is altijd vrolijk, toch Tiny?'

'Ja, Bartje. Wij zijn allemaal altijd vrolijk. Heb je de salades al gemaakt?'

Bartje schrok. 'Nee, dat is Bartje vergeten.' Hij legde de theedoek neer en schoot de keuken in.

'Kun jij bier tappen?' Tiny keek Rik vragend aan. 'Eh... ik denk het wel,' antwoordde hij. 'Maar...' Hij aarzelde. Mocht hij tegen Tiny wel zeggen dat hij vijftien was? Hij besloot om maar niets te zeggen.

Tiny zuchtte. 'Maar wat?'

'Ik heb het nog nooit gedaan.'

Tiny's gezicht betrok. 'Ted zat zeker weer eens niet op te letten. Ik had toch duidelijk om een ervaren kracht gevraagd. Nu Danny weg is en het steeds drukker wordt, heb ik niets aan groentjes.' Ze dacht na. 'Oké, ik roep Giovanni wel even van achter.'

Ze verdween de keuken in en kwam even later terug met een jongen die beduidend ouder was dan Rik. Zijn haren stonden in pieken overeind en in zijn linkerwenkbrauw zat een piercing.

'Giovanni, dit is Rik. Rik, dit is Giovanni.' Tiny duwde de jongen achter de bar. 'Bartje is in de keuken, dus als jij het komende uur wilt tappen?'

Giovanni vond het zo te zien geen straf om achter de bar te staan. Hij pakte een glas en hield dat onder de biertap.

'Ho, ho,' riep Tiny. 'Er is nog niets besteld.'

'Maar de barman mag zelf toch ook wel wat te drinken hebben?' De brutale blik van Giovanni gaf Rik te denken. Die durfde, zeg! Rik keek naar Tiny die zich,

29

zo te zien, niets aantrok van de provocerende houding.

'Kappen!' zei ze en haar ogen flikkerden.

Giovanni bond in. 'Oké, oké, rustig maar. Die ouwe merkt er toch niets van?'

'Kan me niet schelen,' reageerde Tiny fel. 'Wat je thuis met je vader allemaal uithaalt moet je zelf weten, maar hier ben ik de baas, begrepen?'

Rik keek van de een naar de ander en het begon tot hem door te dringen dat Giovanni de zoon van Ted moest zijn. Lekker joch!

Op dat moment kwam er een meisje met lange blonde haren de keuken uit gelopen met een dienblad in haar handen waarop zich vier borden met salade bevonden.

'Aan de kant,' riep ze.

Tiny en Rik deden een stap opzij en lieten haar passeren.

'Hé, Ice!' Giovanni hing half over de bar. 'Niet laten vallen.'

'Dat is Ice,' zei Tiny. 'Zij helpt ook in de bediening.'

Rik volgde het meisje met zijn ogen. Ze had, zo te zien, behoorlijk wat ervaring, want ze laveerde behendig tussen de tafels door en zette de borden zonder problemen op tafel neer.

'Eet smakelijk,' hoorde Rik haar zeggen.

'Ik ben achter,' zei Tiny. 'Ice zal je wegwijs maken in het restaurant, goed?' Ze verdween door de klapdeuren.

Ice kwam teruggelopen en stak haar hand uit. 'Hoi, ik ben Ice. Jij moet Rik zijn?'

Rik voelde zich overrompeld, maar schudde haar hand zo nonchalant mogelijk. 'Hoi.'

'Dus jij bent die jongen die tegen deuren duwt in plaats van eraan te trekken,' ging Ice verder en ze knipoogde naar hem.

Rik wist zich even geen houding te geven, vooral ook omdat Giovanni geamuseerd stond toe te kijken vanachter de bar. Ice pakte zijn arm en trok hem mee naar de ingang van de eetzaal. 'Ik hoop dat je beter kunt bedienen dan fietsen,' fluisterde ze.

Rik bleef staan. Haar brutale oogopslag en kleinerende opmerkingen maakten Rik pissig. Dus dit was die griet van de scooter van daarnet. Dezelfde die gisteren achter de schutting stond toen hij de deur van het restaurant niet meteen open kreeg.

'Ja, inderdaad,' zei hij met kille ondertoon. 'En jij bent dus het meisje dat met een vent staat te klooien achter de schutting en met haar scooter spiegels van auto's af trapt?'

De druk van Ice' hand verslapte heel even, maar ze herstelde zich snel. 'Eén-één,' zei ze zacht. 'Ik mag jou wel.'

'Ik jou niet,' antwoordde Rik.

Ice glimlachte. 'Dat is dan duidelijk.' Ze trok hem mee de eetzaal in. 'Gelukkig hoeven collega's elkaar niet te mogen. Als ze hun werk maar goed doen.'

Ze liet Rik los en vertelde in het kort wat zijn taken waren, hoe hij bestellingen moest opnemen en wat er allemaal nog meer bij kwam kijken. Rik luisterde aandachtig. Hij wilde het heel graag goed doen. Met de kritische blik van Giovanni in zijn nek en de kattige Ice naast hem, voelde hij zich niet echt op zijn gemak. Als dit de sfeer was waarin gewerkt werd, dan wist hij niet of hij dit lang vol ging houden.

'Alles duidelijk?' besloot Ice haar verhaal.

'Ik denk het wel.'

'Heb je een pen en blocnote?'

'Nee.'

Ice liep naar de bar, rommelde wat in een van de laden en kwam terug met een blocnote en pen. 'Stop maar in je sloof. Wil jij tafel twee opnemen? Ze hebben de kaart al gehad en zo te zien willen ze bestellen.'

Rik was blij dat hij even uit de gevarenzone was. Natuurlijk voelde hij de priemende blik van Ice in zijn rug en hij wist dat ze hem zou blijven observeren. Hij mocht geen enkele fout maken nu.

Kip zonder kop

'Goedenavond, mag ik uw bestelling opnemen?' Rik verbaasde zich over zijn mooie volzin. Deze woorden had hij obers wel eens horen zeggen en het klonk goed. Het gezelschap aan tafel keek op.

'Nou en of. We hebben nu wel trek,' zei de man die het dichtst bij Rik zat. De man was in de veertig, had een sportief shirt aan en oogde vriendelijk. Tegenover hem zat een vrouw van dezelfde leeftijd die aandachtig de menukaart bestudeerde.

'Lieverd, ik denk toch dat ik de groenteconsommé neem,' zei ze zacht. Ze keek naar Rik. 'Zit daar vlees in?'

Rik twijfelde. Hij had geen flauw idee wat consommé was en of er vlees in zat. Hij kon het gaan vragen. Ice had daarnet gezegd dat hij beter te veel dan te weinig kon vragen, maar het voelde als een afgang als hij binnen twee minuten al naar haar toe kwam.

'Nee, mevrouw. Voor zover ik weet zit er in groenteconsommé geen vlees. Het is niet voor niets groenteconsommé.'

De man schoot in de lach. 'Ja, daar heb je gelijk in. Logisch!'

'Een groenteconsommé voor mevrouw dus,' zei Rik.

'En meneer, wat wilt u vooraf?'

'Doe mij maar een tomatenbouillon. Zitten daar tomaten in?' De bulderende lach van de man was aanstekelijk.

Rik kon een glimlach niet onderdrukken. 'Jazeker, meneer. Kilo's,' antwoordde hij.

Het andere echtpaar aan tafel was beduidend ouder. De grappenmaker boog zich over de man naast hem heen en wees naar de opengeslagen kaart. 'Wilt u ook een soepje, pa?'

De oude man knikte. 'Lekker heet.'

Zijn zoon keek naar de vrouw schuin tegenover hem. 'Wat wilt u, mama?'

'Ik houd niet van dun,' zei de vrouw pinnig en haar handen trilden. 'Ik wil kauwen op mijn eten.'

'Een garnalencocktail dan?' probeerde de man.

De vrouw trok een vies gezicht. 'Nee, doe mij maar een glas port.'

Haar schoondochter glimlachte. 'Dat is drank, mam. Je moet ook wat eten.'

'Ik hoef niets te eten. Ik wil port.' De oude vrouw sloeg demonstratief haar armen over elkaar als teken dat ze uitgesproken was.

'Doe nog maar een tomatenbouillonnetje,' zei de zoon. 'Dat komt wel op.'

'En een port!' siste de oude vrouw.

'En een port,' herhaalde de zoon met een zucht.

Rik noteerde alles. 'Wat wilt u als hoofdgerecht?'

'Port!' riep de oude vrouw weer.

Geen van de tafelgenoten reageerde meer.

'Ik wil graag de boeuf bourguignon,' zei de schoondochter. 'Kan dat ook alleen?'

Rik had werkelijk geen flauw idee waar de vrouw het over had, maar knikte bevestigend. 'Natuurlijk, mevrouw.'

'Ik wil een tournedos, well done graag,' zei de zoon.

Rik schreef letterlijk op wat de man had gezegd. In de keuken zouden ze wel weten wat dat betekende. Hij keek vragend naar het oudere echtpaar. 'En u?'

De oude man aarzelde. 'Ik twijfel tussen coq au vin en kippenbout à l'orange.'

Rik wachtte geduldig.

'Is de kip van de coq au vin dezelfde als die van à l'orange?' vroeg de oude man.

'Nee, natuurlijk niet,' bromde zijn zoon. 'Een kip heeft maar één kop.'

'Ja, dat zeker,' zei de oude man. 'Ik wil een kip zonder kop.'

'Die heb je al, pa, die zit tegenover je,' bromde zijn zoon.

De vrouw tegenover hem schopte tegen zijn been.

'Au! Dat doet zeer.'

'Zo praat je niet over je moeder, Hans!' siste ze.

Rik kon zijn lachen bijna niet inhouden. Het leek wel een comedy.

'Dus het is van dezelfde kip?' ging de oude man verder.

'Nee, pa. Je kunt maar één keer iets van een kip maken. Óf met wijn óf à l'orange.'

'Kip… kip,' mompelde zijn moeder. 'Wij hadden vroeger kippen. Dat was nog voor de oorlog, hoor.' Haar ogen droomden weg. 'In de oorlog waren de kippen opeens verdwenen. Gek, hè? Zomaar foetsie.'

De zoon sloeg zijn menukaart met een klap dicht. 'Doe maar coq au vin voor mijn vader,' zei hij lichtelijk geïrriteerd. 'Ik ga nog eens uit eten met ze.' 'Met sinaasappelsaus,' vulde de oude man aan. 'Heb ik het allebei, coq au vin à l'orange.' Triomfantelijk keek hij zijn vrouw aan. 'Wat wil jij, schat?'

'Port.'

De oude man aarzelde. 'We zitten in een restaurant, lieverd.' Hij legde zijn rimpelige hand op haar arm. 'Je moet hier wat te eten bestellen. Doe nou maar. Dat is goed voor je.' De zachte stem van haar man leek effect te hebben.

'Tosti,' kraakte haar stem.

'Dat hebben ze hier niet,' ging de oude man op lieve toon verder.

'Tosti met ham en kaas,' herhaalde de vrouw. 'En port.'

Het was even stil aan tafel. Rik voelde de spanning stijgen en hield wijselijk zijn mond. Hij had de tijd. Zolang hij hier stond te wachten, kon hij ook geen fouten maken. Heel even keek hij achterom. Ice stond nog steeds naar hem te kijken. Ze trok een boos gezicht en wapperde met haar hand als teken dat hij op moest schieten.

'Ik kan wel een tosti laten maken, hoor,' zei hij toen. 'Geen probleem.'

'Je bent een lieverd,' zei de oude vrouw. Ze keek hem met heldere ogen aan. 'Ben jij er niet eentje van Bakker? Je lijkt sprekend op Aart Bakker, die woonde bij ons op de hoek toen de Duitsers binnenvielen.'

'Nee, mevrouw,' zei Rik zo vriendelijk mogelijk. Hij wendde zich tot de zoon. 'Wilt u misschien in de tussentijd nog wat drinken?'

'Ja, port,' kraste de oude vrouw.

De man schudde zijn hoofd. 'Nee, we willen nu eerst ons eten.'

Rik bedankte en liep terug naar de bar.

'En?' Ice leek geïrriteerd. 'Bedienen is geen theekransje. Waarom duurde het zo lang?'

Rik legde uit wat er aan de hand was, maar Ice luisterde amper. 'Als het zo dadelijk druk wordt, kun je echt niet vijf minuten doen over het opnemen van een...' Ze griste de blocnote uit Riks handen. 'Tosti?' Haar stem sloeg over. 'We hebben geen tosti nu. De lunchkaart is om vijf uur afgelopen.'

'Ja, hoor eens,' reageerde Rik fel. 'Dat mens is zo dement als een deur. Die wil alleen maar port en tosti. Als ik niet had toegezegd, had ik daar nu nog gestaan. Ze maken maar even een tosti in de keuken. Zo gebeurd, toch?'

Ice keek hem verbaasd aan, maar zei niets.

'Moet ik het briefje nu naar de keuken brengen?' vroeg Rik.

Ice knikte. 'Eerst aanslaan op tafelnummer. Kom maar mee.' Ze liep naar de kassa en wees op het toetsenbord van de computer die naast de kassa stond. 'Je slaat hier de gerechten aan.' Ze griste het briefje uit zijn handen en wees op de menukaart die boven de kassa hing. 'Ieder gerecht heeft een nummer.' Rik luisterde gespannen naar de uitleg van Ice. Hij wilde geen fouten maken. 'Dus ik moet ook afrekenen?' vroeg hij toen Ice klaar was met haar verhaal.

'Ja, wat dacht je dan, moppie? Dat je nou echt ik dat voor je ging doen?' Haar brutale oogopslag maakte Rik onrustig.

'En hoe werkt de kassa?' vroeg Rik.

'Dat komt straks.' Ze wees naar de glazen voordeur. 'Nieuwe gasten.'

Drie auto's draaiden het parkeerterrein op. Ice veegde haar handen af aan haar sloof en liep naar de voordeur.

Rik pakte het briefje en liep naar het keukenluik dat hij openschoof. 'Bestelling,' riep hij.

'Goed gedaan, jochie!' riep Giovanni toen hij langs de bar naar de gang liep. Rik zag dat hij een slok van een glas bier nam. Het schuim bleef op zijn bovenlip staan. 'Laat je niet kisten.'

Rik glimlachte. Giovanni deed gewoon wat hij wilde. 'Afvegen als je niet gesnapt wilt worden,' zei hij.

Giovanni veegde zijn mond schoon. 'Thanks, jij bent best cool.'

'Zo cool als je biertje?' Rik schoof het briefje onder het

38

luikje door waarachter zich de keuken bevond. Daarna schoof hij het luikje weer dicht.

Een tinteling stroomde door zijn lijf. Werken in een restaurant viel eigenlijk best wel mee. Gewoon je gezonde verstand gebruiken.

'Welke idioot heeft deze bestelling genoteerd?' bulderde een stem vanachter het keukenluik.

Rik keek naar Giovanni die zijn schouders ophaalde en zich omdraaide. Ice nam de gasten mee de eetzaal in.

Het luikje ging open en een vertrokken mannengezicht kwam tevoorschijn. 'Nou?'

Rik kwam naar het luikje toe.

'Jij?'

'Eh... ja, meneer,' stamelde Rik.

De man schoof het briefje naar voren. 'Vertel mij dan maar eens even wat daar staat.'

Rik boog naar voren en pakte het briefje aan. Hij wist ook wel dat zijn handschrift niet bepaald mooi was, maar dit was toch gewoon te lezen? 'Boeuf bourguignon alleen, meneer.'

'Wat is alleen?' siste de man.

'Eén persoon.'

'Kun jij niet lezen?' De man schudde zijn hoofd. 'Op de kaart staat duidelijk dat dit gerecht voor minimaal twee personen geldt. Je denkt toch niet dat ik zo'n gerecht voor één persoon kan klaarmaken?'

'Dat... dat wist ik niet, meneer,' zei Rik. 'Ik heb ook geen idee wat het is.'

39

'Hou eens op met dat gemeneer,' sprak de man. 'Ik heet Ton.'

Hij stak zijn hand door het luikje en keek Rik aan. 'En wie ben jij?'

Rik schudde de man zijn hand. 'Rik... Rik de Boer. Ik ben net begonnen met werken. In plaats van Danny.' Hij voelde zijn stem trillen. 'Ik kwam binnen en moest meteen...' Hij wees naar de eetzaal. 'Ik heb de kaart nog niet gezien.'

Ton trok zijn hand terug en zuchtte. 'Zo gaat het hier nu altijd. Wacht maar, ik kom eraan.'

Het luikje ging dicht en even later stond Ton naast hem. 'Jij kunt er ook niets aan doen,' zei Ton nu op een veel vriendelijkere toon. Hij keek in het rond. 'Waar is Ted?'

'In zijn kantoor,' riep Giovanni. 'Waar anders?'

'En Ice?'

Giovanni wees naar de eetzaal waar ze de nieuwe gasten hun plaats wees.

'Ik roep Jasmin even,' zei Ton. 'Die kan jou wel rondleiden.' Hij keek naar Giovanni. 'Zeg maar tegen Ice dat ze het komende kwartier even alleen is. Deze jongen moet toch eerst op de hoogte worden gebracht van het reilen en zeilen hier.'

'Komt voor elkaar,' zei Giovanni.

'Kom maar mee, jij!' Ton draaide zich om en Rik liep met hem mee de zijgang in, naar de deur van de keuken.

Het was warm in de keuken. Rik liet de klapdeuren

40

zachtjes achter zich dichtvallen en veegde zijn voorhoofd af. Tjonge, was hij even blij dat hij niet bij de afwas was gezet. In deze warmte had hij het vast niet lang uitgehouden. Was er geen airco, of zo?

Ton deed een stap opzij. 'Dit is de keuken. Verboden terrein voor iedereen die hier niets te zoeken heeft.' De boodschap was duidelijk en Rik was er niet rouwig om.

'We hebben hier de modernste apparatuur,' vervolgde Ton trots.

Rik knikte. Dat kon je wel zien. Stiekem bedacht hij dat dat natuurlijk geen garantie was voor lekker eten. Zijn moeder had een oude kookplaat en een meer dan tweedehands magnetron, maar ze kon werkelijk heerlijk koken.

'Slaatje bla, slaatje bla.' Bartje stond bij een lange tafel waarop een aantal bordjes stond. Op ieder bordje legde hij drie blaadjes sla terwijl hij zijn zelfverzonnen liedje zong. 'Slaatje bla, dag Rik, slaatje bla.'

Rik glimlachte. Bartje was oké.

'Hoi.'

Rik draaide zich om. Schuin achter hem stond een meisje voor een grote spoelbak. Hij herkende de slang en de sproeier uit de verhalen van Peter. Ze knikte vriendelijk naar hem.

'Bartje ken je al, begrijp ik?' vroeg Ton. Hij wees naar het afwasmeisje. 'Dit is Jessica. Zij helpt ons bij het afwassen en opruimen.'

Ze liepen iets verder de keuken in. Rik keek nog

41

even achterom naar Jessica. Ze was druk bezig met het spoelen van een stapel borden. Zo te zien was ze een stuk ouder dan hij. Rik schatte haar op negentien jaar. Ondanks haar wat saaie uiterlijk had ze iets aantrekkelijks.

'Ik ben van het vuur,' zei Ton en Rik draaide zich weer om. Ton wees naar het grote fornuis met de dubbele ovens. 'En Jasmin helpt mij bij het klaarmaken.'

Een meisje met lange, blonde krullen dribbelde naar de oven toe en boog zich voorover.

'En dat doet ze prima, hè Jasmin?' sprak Ton en hij klonk trots.

Rik wilde bijna een grappige opmerking maken, maar kon zich nog net op tijd inhouden. Gebiologeerd staarde hij naar de lange benen van Jasmin. Het korte rokje dat ze droeg, bedekte nog maar net haar billen. Hij wist niet zo goed waar hij moest kijken. Dit was wel erg gênant, zoals ze erbij stond. Zo te zien had Ton daar echter geen enkel probleem mee. Hij liep naar haar toe en legde zijn hand op haar heup. 'Jasmin!'

Het meisje kwam met een ruk overeind en stootte haar hoofd tegen de rand van het fornuis. 'Au, krijg de… sorry.' Haar lange blonde haren zwiepten naar achteren. 'Ik krijg de oven niet aan.' Haar stem klonk zwoel en zacht, alsof ze een reclameboodschap moest overbrengen voor een 06-nummer. Rik begon er steeds meer lol in te krijgen. Wat een lekkere meid was dat, zeg! En die werkte in de keuken? Zonde!

Ton pakte Jasmins hand en bracht die naar de knop

boven op de oven. 'De knop van de oven zit bovenop,' zei hij rustig. 'Jij draait aan de knop van de magnetron. Ik heb toch stickertjes op de knoppen geplakt? Oven... Magnetron... Zie je wel?'

Jasmin keek wat ongelovig, maar begon toen te lachen. 'O ja... wat stom. Sorry. Hoe kan ik het ooit goedmaken?' Ze duwde haar bovenlichaam naar voren en streek een pluk haren uit haar gezicht.

Rik keek naar zijn schoenen en kon zijn lachen bijna niet inhouden. Zo mooi als ze was, zo leeg was haar hoofd. Vandaar de keuken. En zo te zien had Ton er geen problemen mee dat deze dame bij hem in de buurt werkte.

Ton deed een stap naar achteren. 'Je kunt de wortels gaan schoonmaken, Jasmin. Denk je dat dat lukt?'

Jasmin lachte. 'Tuurlijk, mijn specialiteit!' Ze huppelde langs het fornuis naar de werktafel achter in de keuken. 'Hoeveel wortels wil je schoongemaakt hebben?' riep ze.

'Doe maar tien,' antwoordde Ton.

Rik probeerde zijn gezicht in de plooi te houden. Terwijl Jasmin zich op de wortels stortte, nam Ton de menukaart met Rik door. Bij ieder gerecht vertelde hij wat erin zat, hoe het gemaakt werd en of er bijzonderheden waren die Rik moest onthouden.

'Veel gasten hebben vragen over de gerechten,' legde Ton uit. 'Het is je taak om die allemaal goed te beantwoorden. Ik geef je deze menukaart mee naar huis. Daar staat bij ieder gerecht bij wat er precies in zit. Handig voor als er vragen komen. Ik wil dat je alle gerechten bestudeert, zodat dat in de toekomst geen problemen meer oplevert.'

Hij draaide zich om naar Jasmin. 'Ben je al klaar met die wortels?'

'Ja, ja... bijna.'

Ton wees naar de pan op het fornuis. Heb je al gegeten?'

Rik schudde zijn hoofd. 'Nee, ik wist niet...'

'De regel is dat personeel dat om vier uur begint, eten krijgt hier in de keuken. Ik kook dan en we eten gezamenlijk tussen vier en half vijf. Iedereen die later begint, zoals jij om vijf uur, moet zelf wat gegeten hebben.'

'O...' Rik voelde zijn maag rommelen en dacht aan de heerlijke geuren in de keuken thuis. 'Dat wist ik niet.'

'Nee, dat zei je al,' zei Ton. 'Ted is oké, maar aan dit soort dingen denkt hij niet. Ik zal je nu wat geven, maar voor de volgende keer weet je het.'

Hij liep naar het fornuis en schepte wat goulashachtige prut op een bord. Een handje fijngesneden paprika maakte het geheel af.

'Hier, eet maar snel op.'

Dat liet Rik zich geen twee keer zeggen. Hij had berehonger en het kon hem niet schelen wat er in het prutje zat. Het smaakte goed. Terwijl hij at, vertelde Ton nog wat meer over restaurant Lekker. Al kauwende luisterde Rik naar hem.

'Ted heeft het restaurant drie jaar geleden overgenomen... met mij erbij. Sindsdien groeien we enorm.

Steeds meer mensen weten de weg naar ons te vinden. Daar zijn we blij mee, want het is in deze tijd moeilijk om als middenklasserestaurant te overleven. De mensen willen of heel chic en duur eten, of even snel een vette hap. Wij zitten er precies tussenin. Onze filosofie is: goed eten, in een gezellige sfeer. Gewoon dus!'

Rik zette zijn lege bord op het aanrecht. 'Dat was heerlijk.'

Ton knikte verheugd. 'Dat bedoel ik nou.'

Jasmin veegde haar handen af aan haar schort en kwam naar hen toe gelopen. 'Wat kan ik nog meer doen?'

'Dit is Rik de Boer. Hij komt hier werken.'

Jasmin klapte in haar handen. 'O, wat fijn.' Ze boog voorover. 'Het is hier zo druk de laatste tijd. We kunnen het bijna niet aan.' Ze bekeek hem van top tot teen. 'Hmm, je bent misschien nog wel leuker dan Danny.' Ze stak haar hand uit. 'Dag, ik ben Jasmin.'

'Rik de Boer,' zei Rik en hij schudde haar hand. De hand voelde zacht en slap aan. Jasmins nagels waren kleurig gelakt en aan haar ringvinger prijkte een gouden ring met een prachtige steen.

'Mooi is-ie hè?' zei ze zacht. 'Van een geheime aanbidder gehad.'

Ton keek op zijn horloge. 'Luister, Jasmin. Ik serveer de soep uit en begin aan de hoofdgerechten van tafel twee. Jij hebt precies tien minuten om Rik rond te leiden door de zaak. Laat hem alles zien. De wc's, de voorraadkast, de binnenplaats... alles.'

45

'Oké.' Jasmin pakte Riks hand stevig beet. 'Eerst de bijzaal; die is hier om de hoek.'

Terwijl Rik achter Jasmin aan liep voelde hij de ogen van Ton in zijn rug.

Een lekker hapje

Rik liet zich rondleiden door Jasmin. Ze liet hem alle ruimtes zien en kletste ondertussen de oren van zijn hoofd. Van wat hij van haar gekakel opving begreep hij dat Danny en zij iets met elkaar gehad hadden, dat Jessica een muis was, te saai voor woorden, dat Giovanni een irritant ventje was, Tiny een schat en Ice een bitch. Rik nam alles voor kennisgeving aan. Hij vond Jasmin maar een roddeltante. Nadat ze alle zalen en kasten hadden bekeken, kwamen ze weer terug in de hal.

'Daar is de binnenplaats,' besloot Jasmin haar rondleiding en ze wees naar een deur aan de zijkant van de gang. 'Maar hier is de voorraadkast. Die laat ik je eerst zien. Wel zo gezellig.'

De voorraadkast was niet meer dan twee vierkante meter groot. Jasmin trok de deur open en duwde Rik naar binnen. 'Hier staat de voorraad,' zei ze.

'Vandaar de naam voorraadkast,' mompelde Rik met een grijns. Hij stond met zijn rug naar Jasmin en met zijn gezicht richting rommel.

Plotseling voelde hij haar handen langs de zijkant van zijn rug naar beneden gaan. 'O ja… wat grappig! Daar heb ik nooit zo bij stilgestaan. Voorraad… voorraadkast, wat leuk.' Het was even stil. 'We hebben ook nog een bezemkast achter in de keuken,' ging ze verder. 'Daar staan inderdaad bezems in. Slim, hoor!' Rik durfde niet te bewegen. De handen van Jasmin schroeiden op zijn huid. Rik moest iets doen. 'Ik val niet om, hoor.' Hij draaide zich om en ze liet hem los. Hij stond nu klem tussen de kast en Jasmin, maar ze deed geen stap naar achteren.

'Zullen we?' vroeg Rik en hij deed een stap naar voren. Hij legde zijn hand op haar schouder en probeerde haar iets naar achteren te duwen.

Jasmin week niet van haar plek. Ze schudde haar hoofd en keek hem uitdagend aan. 'Gekkie, dat mag toch niet onder werktijd.' Ze boog voorover.

Rik kon de warme adem van Jasmin in zijn hals voelen. Haar borsten raakten zijn lichaam.

'Maar niet iedereen houdt zich daaraan,' fluisterde ze en ze duwde haar lichaam nog dichter tegen hem aan. 'Weet je dat jij best lekker bent? Nu Danny weg is, ben ik vaak eenzaam.'

Rik wist dat als hij één stap naar achteren zou doen, hij verloren was. Jasmin had de deurknop van de kast al in haar hand en ze zou de deur meteen achter zich dicht doen. Hij hoefde alleen maar toe te geven. Eén stap… Ze was mooi en zacht en ze wilde maar al te graag.

'Opzij,' bromde Rik en hij duwde haar de gang in. 'De rondleiding is afgelopen.'

Jasmin keek beledigd. 'Sorry hoor.'

Rik stapte langs Jasmin de gang in. Hij wilde zijn baan niet laten verpesten door de eerste de beste del die hem probeerde te versieren.

Jasmin leunde tegen de deurpost en klakte met haar tong tegen haar gehemelte. Haar ogen schitterden. 'O, o, nu snap ik het.' Ze wiebelde met haar lichaam. 'Geeft niets hoor. Je ziet er alleen zo leuk uit. Heb je al een vriendje?'

Rik hapte heel even naar adem. Beweerde Jasmin nu dat hij homo was? Die durfde. 'Ik begreep al dat je dom was,' zei Rik zo kalm mogelijk. 'Maar zo dom...'

'Gevoelige snaar?' Jasmin streek met haar vinger langs zijn kin.

In een reflex bewoog Rik zijn hoofd en sloeg haar arm weg. 'Ga jij lekker terug naar je wortels. Dat is meer jouw terrein.'

Rik trok de deur van de voorraadkast achter zich dicht en liep de gang in naar de deur waarachter zich de binnenplaats bevond. In zijn ooghoeken zag hij Jasmin teruggaan naar de keuken. Opgelucht snoof hij de frisse avondlucht in.

De binnenplaats was niet groot, hooguit een paar vierkante meter. De plaats was betegeld en er stond een grote pot die dienstdeed als asbak. Dus hier stond Ice gisteren toen hij de deur niet open kreeg. Samen met nog iemand. Een man. Ton? Giovanni? Ach, wat maakte het uit.

Een windvlaag draaide over de binnenplaats en Rik voelde een rilling. Hij kon maar beter naar binnen gaan.

49

In de gang liep een oude vrouw. Rik herkende haar direct. Het was de vrouw van tafel twee. De portvrouw. 'Zoekt u het toilet, mevrouw?' zei hij, terwijl hij de deur van de binnenplaats achter zich dichttrok.

De vrouw zwaaide met haar armen. 'Ik moet plassen,' zei ze. 'Ik moet plassen.'

Rik keek in de richting van de eetzaal, maar geen van haar tafelgenoten was in aantocht.

'Kom maar,' zei Rik. 'Ik breng u wel even.' Hij pakte haar arm beet en begeleidde de vrouw naar de ingang van het damestoilet. 'Alstublieft, mevrouw. Vanaf hier moet u het zelf doen.'

De oude vrouw keek hem dankbaar aan. 'Ach, broeder... wilt u mijn knoopjes even losmaken?'

Rik fronste zijn wenkbrauwen. Broeder? Hij was geen verpleger uit het ziekenhuis. Was die vrouw zo dement dat ze dat niet zag?

'Eh... u bent in een restaurant, mevrouw,' zei Rik. 'Ik ben geen broeder.'

'Geeft niets hoor, jongeman. Als je mijn knoopjes maar losmaakt.' Ze draaide zich om en wees naar haar broek. 'Hier.'

Rik aarzelde. Hij was echt niet van plan om de broeksknopen van deze mevrouw los te maken. 'Wacht u maar even,' zei hij en hij liet de vrouw los. 'Ik ben zo terug.' Hij spurtte naar de eetzaal toe.

'Maar ik moet zo nodig,' hoorde hij de vrouw nog roepen.

'Sorry dat ik stoor...' Rik hijgde toen hij bij tafel twee

aankwam. 'Uw moeder staat bij het toilet en heeft uw hulp nodig.'

Zowel de vader als de zoon keken niet op. Ze leken zich allebei niet aangesproken te voelen.

'Iemand moet haar helpen,' herhaalde Rik.

'Ik ga wel,' zei de vrouw nors en ze stond op. Haar gezicht stond op onweer. 'Het is jouw moeder!' snauwde ze haar man toe.

Rik liep voor de vrouw uit naar de toiletten. Bij de bar bleef hij staan. 'Tweede deur rechts,' zei hij en hij liet de vrouw passeren.

'Klaar met de rondleiding?' Giovanni zette een glas cola op een dienblad waarop al twee gevulde glazen stonden. Ice kwam aangelopen en schoof het dienblad op haar arm.

'*Sort of,*' mompelde Rik.

'Tafel zeven: drie cola!' zei Giovanni tegen Ice.

'Mooi!' Ice keek naar Rik. 'Tafel vijf wil bestellen. Doe jij die?' Zonder een antwoord af te wachten liep ze de eetzaal in.

Op de gang klonk een gil. Giovanni en Rik keken tegelijk om.

'O, nee!' Rik zag de oude vrouw met haar benen wijd staan. Wat hulpeloos keek ze naar de natte plek in haar broek en de plas op de grond. Haar schoondochter stond te trappelen van onmacht. 'Wat heeft u nu gedaan?'

'Lekker dan,' siste Giovanni.

'Wat nu?' vroeg Rik. Hij keek naar Ice, maar die was

druk bezig met uitserveren van de drankjes. Waar was iedereen?

Op dat moment kwam Tiny uit het kantoor van Ted gelopen en zag wat er aan de hand was.

'Ongelukje,' grijnsde Giovanni en hij was opeens heel druk in de weer met de vuile glazen in de spoelbak. 'Mijn uur is nog niet om. Ik heb het vreselijk druk.'

Tiny gebaarde dat Rik met haar mee moest komen.

'Dweil en emmer vullen met warm water.

'Bezemkast?' vroeg Rik die een angstig vermoeden kreeg dat hij de klos was met deze klus.

De bevestigende knik van Tiny vertelde hem genoeg. 'Water en zeep in het washok halen,' zei ze.

Door de rondleiding van Jasmin wist Rik direct de weg en even later was hij ter plekke met een volle emmer warm water en een dweil aan een lange stok.

Tiny en de schoondochter hadden de oude vrouw de toiletruimte in begeleid. De deur stond open en Rik zag dat ze de vrouw aan het uitkleden waren.

'Plasje gedaan,' hoorde hij de oude vrouw roepen.

'Ja, mam… in je broek,' zei haar schoondochter. 'Dat kan toch niet?'

Rik wachtte het antwoord niet af, maar begon direct met dweilen. Hij propte de dweil in het sop en zwiepte die op de gele plas naast de deur. Zijn gezicht verkrampte. Echt fris rook dit niet. Hij wrong de dweil uit in het rooster dat in de emmer was ingebouwd en pakte weer nieuw sop. Gelukkig hoefde hij niet met zijn handen te dweilen.

'Niet zo'n leuk begin voor je.'

Rik draaide zich om en keek in het gezicht van Jessica, het afwasmeisje. 'Nee, balen!'

Jessica keek achterom. 'Ik heb even niets te doen. Zal ik het van je overnemen?'

'Nou, graag.' Rik propte de dweil in het rooster. 'Ik ben dit niet zo gewend.'

'Geef maar hier.' Jessica nam de dweil over en schoof die behendig over de natte vloer heen en weer. Rik stond er wat verloren bij.

'Ga jij maar bedienen,' zei Jessica. 'Ik ruim dit wel op.'

'Thanks, die hou je tegoed!'

Rik liep terug naar de bar. Jessica mocht dan een muis zijn, zoals Jasmin het noemde, maar ze was wel aardig. Heel even keek Rik achterom. Jessica stond met haar rug naar hem toe en bewoog haar lichaam heen en weer. De dweil zwiepte van links naar rechts. En haar figuur mocht er ook zijn. Als je het ietwat saaie uiterlijk wegdacht...

'Mazzelpik,' zei Giovanni.

Rik schrok op uit zijn gedachten. 'Eh ja, tof van haar.'

'Voor mij had ze dat niet gedaan.'

'Niet?' Rik trok zijn sloof recht.

'Nee.' Giovanni grijnsde. 'Volgens mij valt ze op je.'

'Alsjeblieft, zeg. Ik heb even helemaal genoeg van meiden.'

'O? Ben jij...' Giovanni hield zijn hand slap naar voren en wiebelde met zijn heupen.

Rik griste zijn blocnote van de bar. 'Begin jij nou ook al?' Zonder nog iets te zeggen, liep hij de eetzaal in. Tafel vijf stond precies in het midden van de zaal. Er zat een echtpaar met drie jonge kinderen. Zo te zien hadden ze net iets te lang moeten wachten. De twee jongens hadden propjes van hun papieren servet gemaakt en lanceerden die een voor een met hun vork door de eetzaal. Het meisje, dat duidelijk de oudste van het stel was, bewoog haar mes door de vlam van de kaars die op tafel stond. De vader en moeder waren in een druk gesprek verwikkeld en zeiden er niets van.

'Goedenavond, heeft u uw keus kunnen maken?' Rik zette de kaars iets opzij, zodat het meisje er niet meer bij kon. 'Zal ik nieuwe servetjes pakken voor jullie?' Hij legde zijn hand op de tafel en pakte de resten van de servetten van de jongens af. Zijn boze blik had effect. Het werd rustig aan tafel.

'Ja,' zei de vader. 'Het zal tijd worden.'

'We hadden een ongelukje met een van de gasten, meneer. Excuses voor het lange wachten. Wat mag het zijn?'

'Drie kindermenu's en –'

'Het spijt me, maar wij hebben geen kant-en-klare kindermenu's op de kaart staan,' viel Rik de man in de rede. Hij sloeg de menukaart open. 'Wel staan hier wat gerechten voor kinderen. U kunt deze apart bestellen.'

'Man, doe niet zo moeilijk,' riep de man. 'Gewoon patat met een kroket en een ijsje toe. Hoe moeilijk kan dat zijn?'

Rik noteerde de bestelling zwijgend. Wat een chagrijn, zeg! Heel even zonk de moed hem in de schoenen. Hij had tot nu toe alleen nog maar vervelende gasten gehad. Zouden er eigenlijk wel vrolijke gasten bestaan in deze regio? Of had het te maken met dit restaurant? Er mochten dan wel chique gerechten op de kaart staan, zijn klanten waren dat tot nu toe niet geweest.

'En u?' Hij keek de man vragend aan. Het liefst had hij vijf patat met kroket op zijn blaadje geschreven. Een kindermenu paste precies bij deze vader.

'Doe mij maar een tournedos met pepersaus en flink veel patat,' zei de man. 'Met mayonaise natuurlijk. En voor mijn vrouw wat vis.'

Rik probeerde zijn ongeduld te verbergen. 'Welke vis mag het zijn, mevrouw?' Hij wendde zich tot de vrouw die wat ongelovig naar haar man staarde.

'Ik wil helemaal geen vis,' zei ze zacht.

'Vis is beter voor je, schat,' reageerde de man. 'Veel minder calorieën.'

De vrouw leek aangeslagen. Ze knikte. 'Je hebt gelijk.' Ze keek naar Rik. 'Doe mij maar de zalm.'

'De kabeljauw is lichter, lieverd,' zei de man, terwijl hij zijn dochter een tik op haar handen gaf. 'Afblijven, jij!'

Rik keek naar de vrouw die haar ogen neersloeg. Werd het nu zalm of kabeljauw?

'Kabeljauw graag,' zei ze zacht.

'Met groente uit water en één gekookte aardappel,' vulde de man aan.

Rik noteerde alles. 'Wilt u nog iets drinken?' vroeg hij tot slot.

'Drie cola, een grote bier en een water... toch, schat?' De man legde zijn hand op de hand van zijn vrouw en glimlachte. 'We doen het samen! Een paar maandjes volhouden en je ziet er weer pico bello uit.'

Rik liep terug naar de bar, sloeg de bestelling aan in de computer en schoof zijn bestelling onder het luikje door. 'Bestelling!' riep hij.

'Tafel negen wil afrekenen,' riep Ice die met vuile borden aan kwam lopen. 'Wil jij dat even doen? Ik moet uitserveren aan tafel zes.'

'Maar...' Voordat Rik zijn zin af kon maken, was ze verdwenen naar de keuken.

'Ik help je wel,' zei Giovanni. 'Kijk...'

Rik keek hoe Giovanni de bestelling van tafel negen opriep op het scherm. Het totaalbedrag kwam in beeld.

'Je typt je naam in en dan druk je op print,' zei Giovanni. 'En voilà...'

Het bonnetje kwam tevoorschijn. Rik trok de bon los en pakte een van de leren mapjes die op een stapel klaar lagen naast de kassa. Boven aan de bon stond zijn naam. Handig! Zo wist je meteen wie afgerekend had.

'Prima,' zei Giovanni. 'Als de man wil pinnen, moet je hem hierheen sturen. De pinautomaat staat op de bar.'

Rik knikte en liep de zaal in. Aan tafel negen zat een jong stel en zo te zien waren ze heel verliefd. Ze zaten over de tafel naar elkaar toe gebogen en zoenden elkaar.

'Ahum…' Rik kuchte, maar er kwam geen reactie.

'Pardon?'

Giechelend ging de vrouw weer zitten. De man nam de rekening aan, sloeg het mapje open en keek hoeveel hij moest betalen. Zwijgend haalde hij zijn portemonnee tevoorschijn en legde een briefje van vijftig in het mapje. 'Laat de rest maar zitten.'

Het meisje kirde. 'O, Peet, wat ben je toch een lieverd.' Ze keek naar Rik. 'Fijn toch, zo'n fooi?'

Rik knikte en pakte het mapje met de rekening en het geld aan. 'Dank u wel, meneer. Fijne avond nog.'

Hij draaide zich om en liep terug naar de bar.

'En?' Giovanni keek nieuwsgierig. 'Fooi?'

Rik sloeg het mapje open. 'Tachtig cent,' zei hij teleurgesteld. 'Ik ga feesten vanavond.'

Giovanni liet hem zien hoe de kassa openging en Rik legde het briefje van vijftig op de juiste stapel.

'Die tachtig cent moet in de fooienpot,' zei Giovanni. Hij wees naar een metalen box met een gleuf bovenin die achter de rand van de bar stond.

Rik pakte tachtig cent uit de kassa en liet de drie munten in de box glijden. 'Wat gebeurt er met dat geld?' vroeg hij.

'Wordt verdeeld.' Giovanni haalde zijn schouders op. 'Elke maand wordt het geld verdeeld onder iedereen hier. Zelfs de schoonmaker die hier 's morgens vroeg komt, deelt mee.'

'Is het veel?'

'Ach, wat is veel. Je kunt er een keertje van uitgaan.

Tientje, soms vijftig euro… het ligt er maar net aan wat er die maand is gegeven.' Hij keek naar Ice die met een blad vol gerechten langsliep. 'Het ligt er ook aan wie er bedient.' Zijn stem klonk luider, alsof hij wilde dat Ice het verstond. 'Wij zijn vanavond dus allemaal afhankelijk van jullie,' besloot hij zijn verhaal. 'Chagrijnige bediening levert niets op, toch Ice?'

Rik zag dat Giovanni en Ice elkaar heel even aankeken, maar er kwam geen reactie van Ice. Verbeeldde hij het zich nu of speelde er iets tussen die twee?

IJskoud de lekkerste

Op dat moment zag Rik dat er twee nieuwe gasten binnenkwamen. Ice was al in de eetzaal aan het uitserveren.
'Goedenavond,' zei hij terwijl hij op de gasten afstapte. 'Kan ik uw jas aannemen?'
De man van middelbare leeftijd had de jas van zijn vrouw al aangenomen en overhandigde die aan Rik. 'Dank je. Wij hadden gereserveerd. Thomassen is de naam.'
Rik liep naar de bar waar het grote reserveerboek opengeslagen lag.
'Thomassen... inderdaad,' zei hij. 'Tafel voor twee... bij het raam.'
De vrouw knikte. 'Ja, dat vind ik zo leuk. Kunnen we naar de bootjes kijken, toch Herman?' Ze gaf haar man een arm.
Rik hing de jassen aan de kapstok en ging het echtpaar voor naar de eetzaal.
'Nieuw?' vroeg de man.
'Ja, vandaag is mijn eerste dag.' Rik laveerde behendig om tafels heen.
'En? Bevalt het?'

59

'Het is even wennen,' antwoordde Rik. 'Maar tot nu toe gaat het goed.'

'Mooi! Van werken is nog nooit iemand doodgegaan,' zei de man.

Rik schoof de stoel voor de vrouw naar achteren. 'Neemt u plaats.'

'O, wat galant,' kirde de vrouw. 'Nou, jij hebt talent, hoor!'

Rik glimlachte. Eindelijk eens een compliment van een gast.

'Een whisky en een sherry, graag,' zei de man die ook was gaan zitten. Hij keek Rik onderzoekend aan. 'Hoe oud ben jij?'

Rik was op zijn hoede. 'Oud genoeg, meneer.' Zonder nog om te kijken, beende hij weg. Dat was op het nippertje. Rik wist dat er controleurs waren die anoniem in horecagelegenheden kwamen om te controleren of de papieren van het personeel in orde waren. Het voelde niet goed. Moest hij nu bijna een jaar volhouden dat hij zestien was? En als hij dan zestien werd... was hij dan zeventien? Je kunt moeilijk twee jaar zestien blijven.

'Een whisky en een sherry,' zei Rik toen hij bij de bar kwam.

Giovanni ging aan de slag. 'Dat is het echtpaar Thomassen,' zei hij. 'Rijke mensen, wonen hier in de buurt en komen een paar keer per week hier eten.' Behendig liet hij het whiskyglas vollopen. 'Zij is wat ziekelijk.' Hij boog naar voren. 'En volgens mij wordt ze ook een beetje dement.'

'Nou, lekker dan,' zei Rik. 'Het zit hier vol met vreemde gasten. Is dat het niveau van restaurant Lekker?'

'Er komt hier van alles,' zei Giovanni terwijl hij een klein dienblaadje pakte en de glazen erop zette. 'Mijn vader houdt daarvan. Doe maar gewoon, dan doe je gek genoeg, zegt hij altijd. Best cool! Hij heeft vroeger als kok in een tweesterrenrestaurant gewerkt waar alleen maar rijke stinkerds kwamen. Stuk voor stuk weirdo's, vertelde hij. Wereldvreemd en stijf, noemde hij ze. Toen hij dit restaurant begon heeft hij zich voorgenomen om met goede gerechten voor een betaalbare prijs ook een ander soort publiek aan te trekken. En dat lukt! Het publiek varieert hier van gek tot superrijk.' Hij glimlachte. 'Hoewel dat vaak ook samengaat.'

Rik keek achterom naar de gasten in hun eetzaal.

'Nou, dan heeft hij vanavond niets te klagen.'

Giovanni schoof het dienblad naar Rik. 'Hier gebeurt iedere minuut wel wat,' zei hij. 'Wacht maar tot je hier een tijdje werkt. *You love it, or leave it!* De jongen die hier vóór jou werkte, heeft het maar kort uitgehouden. Hij was goed, maar een beetje arrogant. Dacht dat hij alles beter wist.' Hij boog voorover. 'Schijnt iets met Jasmin te hebben gehad,' fluisterde hij. 'Hééft toch op zijn lazer gehad van Ton.'

Rik voelde zijn wangen gloeien. Was hij even blij dat hij niet op Jasmins voorstel was ingegaan. Hij pakte het dienblad en liep weg. De onderzoekende blik van Giovanni prikte in zijn rug.

Aan het eind van de avond was Rik doodop. Zijn benen voelden aan als blokken beton en ook de spieren in zijn armen lieten duidelijk merken dat ze hadden overgewerkt vanavond. Het was behoorlijk wennen zo'n eerste keer, maar Rik liet zich niet kennen. Iets na middernacht nam hij met een glimlach rond zijn mond afscheid van zijn nieuwe collega's. Morgen zou het vast beter gaan.

Rik leerde snel. Het werken bij restaurant Lekker slurpte behoorlijk wat energie, maar het was leuk werk. Ted roosterde hem tijdens zijn eerste week in op de vrijdag-, zaterdag- en zondagavond en Rik ging er keihard tegenaan. Natuurlijk ging er nog wel eens wat mis, maar over het algemeen voelde Rik zich in zijn element. De omgang met de gasten slokte de meeste aandacht op en Rik had in drie dagen meer mensenkennis opgedaan dan hij ooit voor mogelijk had gehouden. Ook de bediening zelf vereiste bepaalde technieken die hij al snel onder de knie had. Ice was een goede leermeester. Dat hij zaterdagavond al vier volle borden tegelijk kon uitserveren deed hem goed. Zondagmiddag had hij thuis gedemonstreerd hoe dat ging en zijn ouders hadden bewonderend toegekeken. Ook het afruimen verliep nu een stuk vlotter. Het eerst sorteren van het bestek en het servies bleek heel efficiënt te zijn. Nadeel was wel dat hij thuis ook meteen werd gebombardeerd tot afruimer.

'Handig zo'n bediende,' had zijn vader gezegd en Rik was maar wat trots geweest.

'Rik, opstaan!' De stem van zijn moeder schalde door het huis.

Grommend sloeg Rik het dekbed van zich af en keek op de wekker. Kwart voor acht! Shit...' Op weg naar de badkamer liet hij zijn short tot op de grond zakken en stapte eruit. De warme stralen van de douche maakten hem wakker. Maandagochtend... een nieuwe schoolweek. Twee toetsen en een so, het kon niet erger. Even later was hij aangekleed en propte hij de boterham die zijn moeder had klaargezet in zijn mond. 'Mpsorrygrmmm,' gromde hij.

Rik baalde. Dit was al de tweede keer deze week dat hij zich versliep. Eerst donderdagmorgen na zijn eerste werkavond en nu weer. Hij hoopte maar dat zijn ouders hier niet moeilijk over gingen doen. Een baantje in de bediening was echt niet makkelijker dan afwassen. Dat had hij nu wel door. Iedereen moest na afloop meehelpen opruimen. Zodra de laatste gast weg was, werd er in de keuken met man en macht afgewassen en opgeruimd. Het bedienend personeel moest dan de eetzaal, de bar en de toiletten schoonmaken. Tiny, Ice, Giovanni en hij waren dan nog zeker een uur bezig.

Natuurlijk was hij de eerste avond, vorige week woensdag, de klos geweest. Giovanni en Ice waren opeens heel druk met van alles en nog wat toen de laatste gasten verdwenen waren en toen bleven alleen de toiletten over. Tiny legde hem uit hoe het moest.

Nog nooit eerder had hij toiletten schoongemaakt, maar het was hem gelukt. De emmer met sop, de borstel en dweil waren na afloop behoorlijk vies. Zeg maar gewoon ranzig. Dat zo weinig mensen zo veel smerigheid konden achterlaten. Hij had al direct besloten dat hem dat geen tweede keer zou overkomen.

Vrijdagavond was hij de anderen voor geweest. 'Ik poets de tafels,' had hij geroepen toen de laatste gasten vertrokken waren. Toen hij Ice even later met emmer en dweil richting toiletten zag lopen, moest hij glimlachen. Gelukt! Je moest hier gewoon voor jezelf opkomen en een beetje lef tonen, dan viel het allemaal reuze mee.

Ook Ted hielp mee met opruimen. Dat vond Rik best tof. De meeste tijd zat Ted in zijn kantoor of hielp hij in de keuken, hij was tenslotte kok. Maar als het erop aankwam, hielp hij gewoon mee met schoonmaken.

Rik had behoorlijk wat fooi gehad. Hij was benieuwd wat er aan het eind van de maand overbleef voor hem. Wel jammer dat hij de fooi die hij kreeg niet zelf mocht houden, maar het was natuurlijk wel zo eerlijk dat iedereen ervan profiteerde.

'Vandaag heb je toch die toets Engels?' vroeg zijn moeder, terwijl ze zijn bord in de afwasmachine zette.

Rik knikte.

'Zeg, Rik?' Haar toon voorspelde niet veel goeds. 'Papa en ik hebben het erover gehad, maar de zondagavond is niet zo'n goede avond om te werken. Je was vannacht pas om halféén thuis.'

'Mam... ik kan toch moeilijk weggaan als we nog moeten opruimen?'

'Je bent vijftien, Rik! Je moet de volgende dag naar school.'

'Het gaat heus wel. Het is alleen even wennen.'

'Je school mag er niet onder lijden.'

'Jahaaaa...' Rik pakte zijn tas die hij gisteren al had klaargezet. 'Ik ga!'

'We hebben het er nog wel over. Dag, lieverd.'

De hele verdere week kwam Rik op tijd uit bed en probeerde hij thuis zo vrolijk mogelijk te doen. Hij wilde zijn baantje in het restaurant niet op het spel zetten door een chagrijnige bui. De jongens en meiden in zijn klas vonden het vetstoer dat hij al in de bediening zat. Hij had nog nooit zoveel aandacht gehad van zijn klasgenoten. Hij mocht het gewoon niet verpesten door zich te verslapen of slechte cijfers te halen.

De toets Engels maandag was goed gegaan. De toets wiskunde was iets minder, maar de so's daarentegen waren weer een makkie. Deze week was hij goed doorgekomen en zijn ouders waren er niet meer op teruggekomen.

Vrijdagmiddag was hij vroeg thuis van school. Met Tiny had hij afgesproken dat hij om vier uur zou beginnen. Kon hij eerst nog mee-eten.

Rik was er al om kwart voor vier. Hij had er zin in. Ton had saté gemaakt, met rauwkost en kroepoek. Tiny, Ice en Giovanni waren er ook al toen Rik arriveerde. Er waren vier tafels gereserveerd voor vanavond, maar met dit mooie weer zouden er vast veel gasten komen voor het terras. Daar was het nu al behoorlijk druk met middaggasten die wat kwamen drinken.

'Grote kans dat ze blijven hangen en een hapje blijven eten,' zei Ton.

Terwijl Tiny in de zaak bleef om de terrasgasten te bedienen, aten Rik en de anderen in de keuken hun saté. 'Komen Jessica, Bartje en Jasmin vanavond ook?' vroeg Rik met zijn mond vol.

'Jessica komt straks,' antwoordde Ton. 'Afwassen is pas later nodig.'

'Ja,' zei Giovanni. 'Eerst moeten de gasten de boel vies maken.'

'Bartje komt vanavond niet,' ging Ton verder. 'Hij werkt maar af en toe.'

'Nou ja, werken...' Giovanni grijnsde. 'Hij geeft ons meer werk dan dat hij oplevert.'

'Niet zo flauw,' zei Ton. 'Bartje doet zijn best.'

Ton vertelde dat Bartje in een woongemeenschap voor verstandelijk beperkten vlak in de buurt woonde en dat hij zowel daar als bij restaurant Lekker in de keuken meehielp. 'Hij wil later kok worden,' besloot hij zijn uitleg.

'Heel veel later,' mompelde Giovanni.

Ice stond op en zette haar lege bord in de afwasmachine. 'Ik hoop dat het vanavond niet zo laat wordt.'

'Moe?' Giovanni propte een laatste stukje vlees in zijn mond.

'Nee, feestje.'

'O, vertel... kan ik mee? Ik ben dol op feestjes.'

Ice schudde haar hoofd. 'Besloten.' Ze aaide hem over zijn hoofd. 'Volgende keer beter.'

Giovanni keek overdreven teleurgesteld, maar zijn ogen schitterden. 'Wat is er mis met mij?' vroeg hij. 'Ik probeer je al weken te versieren... ICE!' Het laatste woord sprak hij luid en duidelijk uit. 'Je bent nog koeler dan ijs.'

'Waarom denk je dat ik Ice heet?' zei Ice lachend. 'Is dat eigenlijk jouw echte naam?' vroeg Rik nieuwsgierig.

'Nee, mijn echte naam gebruik ik al jaren niet meer.'

'Nu word ik nieuwsgierig,' zei Giovanni.

Ice dacht na. Ze keek naar Rik en naar Giovanni en lachte. 'Fijn voor jou,' zei ze terwijl ze Rik een knipoog gaf. Heel even voelde Rik zich opgelaten. Wat betekende dat nou weer? Nam ze Giovanni in de maling en werd hij erin betrokken, of was de knipoog heel anders bedoeld?

Giovanni ging uit van het laatste en sloeg Rik op zijn schouders. 'Zo, zo, Rikkie... je hebt sjans bij onze ijsklomp. Wat is dat toch met jou? Eerst Jessica die voor je gaat dweilen en nu Ice.' Hij lachte. 'Komt natuurlijk omdat jij er niet op in zult gaan. Vinden ze wel zo veilig, toch?'

Rik stond op en liep naar het aanrecht. Hij had absoluut geen zin om hierop te reageren. Terwijl Ted zijn zoon tot de orde riep, kwam Ice bij Rik staan. 'Niets van aantrekken,' zei ze zacht. 'Ik heet eigenlijk Isabella Catharina Elisabeth.'

Rik wist even niet wat hij moest doen. Het was duidelijk dat Ice hem dit in vertrouwen vertelde en dat ze niet wilde dat de rest dit hoorde. Achter hem hoorde hij de boze stem van Giovanni die tegen zijn vader tekeerging. De woorden drongen niet echt tot hem door. Hij herhaalde in gedachten de naam van Ice, Isabella Catharina Elisabeth, en bedacht zich dat de eerste letters de naam Ice vormden.

'Snap je?' Ice keek hem triomfantelijk aan. Rik knikte. 'Cool.'

Ice lachte. 'Inderdaad... cool!'

Heel even keken ze elkaar aan en Rik voelde zich allesbehalve koel. Het was warm hier in de keuken. Hij duwde de klep van de afwasmachine dicht en veegde zijn handen schoon aan de doek die op het aanrecht lag. 'Het is tijd,' zei hij zo neutraal mogelijk. Om halfvijf precies moesten ze aan de slag en te zien aan de klok die aan de muur hing, zaten ze daar al drie minuten overheen. Ice en Rik knoopten hun sloof om en luisterden wat bedremmeld naar de discussie tussen Ted en zijn zoon.

'Wij hebben een afspraak,' riep Ted. 'En daar hou je je aan, begrepen?'

Op dat moment kwam Tiny de keuken in gelopen. 'Uitgegeten? Het is beredruk in de zaak.' Ze duwde Giovanni van zijn stoel. 'Kom, we gaan aan het werk.'

Giovanni's gezicht stond op onweer. 'Ik maakte alleen maar een grapje, pap.'

'Ik noem dat geen grapje,' brieste Ted. 'Eerst dat gedoe met Bartje en nu dit. Ik...'

'Kappen nou!' Tiny's stem vulde de ruimte en ze keek

Ted dwingend aan. 'Horen jullie niet wat ik zeg? Het is druk in de zaak. Er moet gewerkt worden. Discussies met je zoon voer je maar thuis.'

Ted stak zijn vinger op. 'Je hebt gelijk. Maar laat het dan voor eens en altijd duidelijk zijn: ik wil dat mijn personeel elkaar respecteert en dat niemand zich buitengesloten voelt. En dat geldt niet alleen voor Bartje, maar voor iedereen die hier werkt. Is dat duidelijk?'

'Respect, man,' mompelde Giovanni.

'Juist... respect!' Ted liep samen met een verbaasde Tiny de keuken uit.

De deur viel met een klap dicht en Giovanni liet zich demonstratief tegen de koelkast vallen. 'Wat een droogkloot,' mompelde hij. 'En het ergste is nog dat het mijn vader is.'

'Kom mee,' zei Ice en ze trok Rik mee naar de deur. 'Wij serveren, Gio doet de bar.'

'Wat?' Giovanni stoof naar voren. 'Ik doe altijd al de bar.'

'En dat doe je goed,' zei Ice die hem vriendelijk aankeek. 'Jongen, je bent een talent met drank. Niemand anders kan het zo goed als jij.'

Rik zag aan het gezicht van Giovanni dat hij Ice haar opmerking niet goed kon inschatten. 'Echt?' stamelde hij.

'Echt!' Ice draaide zich om, voordat ze zich kon verraden met haar glimlach.

Rik liep achter Ice aan naar de eetzaal. 'Wat bedoelde Ted met zijn opmerking van daarnet over Bartje?'

Ice trok haar sloof recht. 'Giovanni is een etterbak,' siste ze. 'Hij heeft Bartje wekenlang in de zeik genomen.'

'Hoezo?' Rik keek achterom. Giovanni was nog niet in zicht.

Ice keek hem aan. 'Flauwe dingen. Zoals sambal op zijn eten, olie in het sop, onmogelijke boodschappen laten doen... niemand had het in de gaten. Bartje werd steeds zenuwachtiger. Echt zielig.'

'Hoe kwamen jullie erachter dan?' vroeg Rik.

'Giovanni had Bartje verteld dat de sla gewassen moest worden met regenwater. Is-ie in de stromende regen buiten op de binnenplaats gaan staan met zijn vergiet met slablaadjes. Tiny heeft hem naar binnen gehaald.'

'Wat gemeen,' zei Rik.

'Ja, Giovanni heeft een vreemd soort humor.' Ice pakte haar blocnote en pen. 'Maar ja, Ted kan hem hier beter in de gaten houden dan thuis.'

Rik keek vragend.

'Ted en Giovanni wonen alleen,' legde Ice uit. 'Teds vrouw, Giovanni's moeder, is vorig jaar overleden.'

'Aan de slag, jongens.' De stem van Giovanni klonk opgewekt. 'Centjes verdienen!'

Heel even aarzelde Rik, maar hij besloot om niets meer te zeggen. 'Jij tafel vier, ik drie.'

Met grote stappen liep hij naar het gezelschap aan tafel drie. Vanuit zijn ooghoeken zag hij Ice naar de andere tafel lopen. Ze had hem in vertrouwen genomen. 'Isabella Catharina Elisabeth,' fluisterde hij.

70

'Nee hoor,' zei de vrouw aan tafel drie. 'Zeg maar Josje.'

Rik keek op. Het drong langzaam tot hem door wat er aan de hand was. 'O... eh... nee, sorry. Ik was even in gedachten.'

De vrouw glimlachte. 'Is ze lief?'

Rik lachte terug en rechtte zijn rug. 'Wat mag het zijn?'

Zoetzuur

Het was die avond zo druk dat er geen tijd was voor praatjes. Rik liep de benen uit zijn lijf om alle gasten op hun wenken te bedienen. De meeste gasten hadden begrip voor de iets langere wachttijden, maar Rik zorgde er wel voor dat ze gecompenseerd werden met een gratis drankje. Op een gegeven moment liep Jessica zelfs mee in de bediening. Ze bracht gerechten en drankjes naar de juiste tafel en regelde ontvangst en vertrek van de gasten. Rik en Ice waren blij met haar hulp.

'Die grijze spoelmuis doet het best goed,' fluisterde Ice tegen Rik toen ze elkaar passeerden bij tafel twee.

Rik knikte. Ook hij verbaasde zich over de verandering van Jessica. Ze kwam in de bediening veel zelfverzekerder over en ook haar blik was brutaler. Het leek wel of ze dwars door hem heen keek met haar felle groene ogen. Ook Giovanni was onder de indruk, zag hij. Jessica kreeg het zelfs voor elkaar dat zij een tijdje mocht tappen en inschenken, terwijl hij de lege kratjes naar de binnenplaats bracht. De bediening liep vlekkeloos door.

Rond halfelf waren de meeste gasten vertrokken en

ging Jessica terug naar de keuken. Er stond een enorme berg afwas die nog gedaan moest worden. De drie tafels die nog bezet waren, konden Rik en Ice samen wel aan.

Om halftwaalf vertrokken de laatste gasten. 'Fijne avond nog,' zei Ice en ze deed de deur achter het echtpaar dicht. 'Pffff, wat een avond,' verzuchtte ze. 'Net nu ik een feestje heb.'

Rik knikte. Een blik in het restaurant was genoeg om te weten dat het netjes maken van de eetzaal nog minstens een uur zou duren. Hij en Ice hadden al zoveel mogelijk tussendoor gedaan, maar echt schoonmaken konden ze pas als alle gasten weg waren.

Ton kwam de gang in gelopen in zijn gewone kleren. 'De keuken is schoon. Niemand meer naar binnen, graag. Ik ga. Tot morgen.'

Wat verbaasd keek Ice hem aan. 'Zijn Jasmin en Jessica ook al weg, dan?'

Ton knikte. 'Jessica is vijf minuten geleden naar huis gegaan en Jasmin is zich aan het omkleden.'

Giovanni wierp de doek in een emmer. 'Ik ben ook klaar. Tap is schoon, bar gepoetst, vloer gedweild. Hopelijk is mijn vader ook klaar, dan kan ik weg.'

Rik en Ice keken elkaar aan. Dit kon niet waar zijn! Ging iedereen nu weg, terwijl de eetzaal nog gedaan moest worden?

'Helpen jullie niet even mee?' vroeg Rik. Hij had de vorige avonden ook geholpen toen de keuken laat was. Ze deden dit toch samen?

73

Tiny kwam de kleedkamer uit gelopen in haar eigen kleren. 'De wc's en de kassa zijn gedaan.' Ze hijgde. 'Sorry, normaal gesproken blijf ik helpen, maar mijn dochtertje is ziek en...' Ze keek op. 'Is er iets?' 'Nee hoor, ga maar,' zei Ice. 'Hopelijk knapt ze snel op.'

'Ja, ik hoop het ook,' verzuchtte Tiny. 'Morgen sta ik vroeg ingeroosterd en mijn man moet werken. Ze zou naar mijn moeder gaan, maar als ze zo ziek blijft, vind ik dat ook zo wat.'

Ze sloeg haar jas om en stak haar hand op. 'Dag.'

Ze passeerde Ton en verdween naar buiten.

'Sorry, ik moet nu ook echt weg! Vrouwtje wacht.' Ton nam niet eens de moeite om gedag te zeggen. De glazen deur klapte achter hem dicht.

'Lekker dan!' zei Ice. 'Daar gaat mijn feestje.'

Giovanni kwam achter de bar vandaan. 'Als ik mee mag naar jouw feestje, help ik even mee.'

Het gezicht van Ice betrok. 'Wat ben jij een ongelooflijke boerenlul!' riep ze boos. 'Al was je de laatste man op aarde...'

Ze trok Rik aan zijn arm mee naar de eetzaal. 'Kom op, Rik. De handen uit de mouwen.'

Rik keek heel even achterom naar het verbouwereerde gezicht van Giovanni, maar concentreerde zich toen op zijn taak. De tafels en stoelen moesten afgenomen met een natte doek, de vaasjes met bloemen nagekeken, de stoelen en tafels netjes gezet, de vloer geveegd en daarna gedweild, het terras opgeruimd. Rik begon met het vegen van de vloer, terwijl Ice de tafels op het terras goed zette.

'Tot morgen!' Jasmin trippelde naar de uitgang. 'Ik had wel mee willen helpen, maar ik heb nog een afspraak.' Zonder een antwoord af te wachten, verdween ze naar buiten.

Rik baalde.

Giovanni kwam de eetzaal in lopen en schoof wat tafels recht. 'Ik moet toch op mijn vader wachten,' zei hij zonder Rik aan te kijken. 'Kan ik net zo goed even helpen.'

'Dank je,' zei Rik en hij veegde het vuil op een hoop. 'Ik haal even een stoffer en blik.'

Hij liep naar de bezemkast, maar bedacht zich dat Ton stoffer en blik het laatst op de binnenplaats had gebruikt vanmiddag tijdens het eten.

Rik liep de binnenplaats op. Het was koud buiten, de frisse voorjaarswind draaide precies tussen de schuttingen door. Het licht van de gang was voldoende voor Rik om stoffer en blik te vinden. Ton had deze vlak bij de deur tegen de muur gezet. Net toen hij naar binnen wilde lopen, hoorde hij stemmen. Er klonk een lach.

'Je bent lief.' Rik kon de fluisterende meisjesstem verstaan.

Het antwoord kwam van een man. 'Weet ik toch. Hier is je honderd euro. En denk erom: dit is ons geheimpje.'

Heel even meende Rik iets bekends in de mannenstem te horen, maar het geluid van klotsend water overstemde het gefluister. Rik wilde Ice en Giovanni niet langer laten wachten en ging naar binnen. Hij deed de deur zachtjes achter zich dicht. Wie zich daar ook bevonden, ze hadden hem niet gehoord.

Met zijn drieën werkten ze flink door en een halfuur later was alles gedaan. Ice had al die tijd niets gezegd, maar aan haar gezicht te zien was ze blij dat het zo snel was gegaan.

Ted kwam met een peinzend gezicht zijn kantoor uit gelopen. 'Iedereen al weg?'

'Wij zijn de laatsten,' zei Rik terwijl hij de kleedkamer uit kwam.

Ted mompelde wat onverstaanbaars en krabde op zijn hoofd.

'Is er iets?' vroeg Rik.

'Ja en nee.' Ted keek op. 'Problemen met de voorraad.' Hij zuchtte.

Rik wist niet zo goed hoe hij moest reageren en glimlachte wat. Op dat moment kwam Ice aangelopen. 'Ik ga snel, goed?' Ze stoof naar de deur. 'Mijn uren staan er al.'

Rik stak zijn hand op. 'Veel plezier.' Hij keek op zijn horloge. Vanavond had hij behoorlijk veel uren gedraaid. Lekker! Hij pakte het boek dat achter de bar lag en schreef achter zijn naam het aantal uren dat hij gewerkt had. Niet vergeten om dit thuis in zijn eigen agenda te zetten. Slim idee van zijn vader. Zo kon hij achteraf controleren of zijn urenaantal klopte als hij zijn loonstrookje kreeg.

Ted pakte zijn tas. 'Ga je mee?' zei hij tegen zijn zoon. 'Of had je andere plannen?'

Giovanni keek naar Rik en schudde zijn hoofd. 'Nee, ik ga mee.'

Ze liepen gezamenlijk naar buiten. 'Je doet het goed, Rik,' zei Ted toen ze buiten stonden. 'Ik hoorde van Tiny dat je een snelle leerling bent. Fijn!'

'Dank u wel,' zei Rik. Hij straalde. 'Ik vind het ook leuk. Het was even wennen met de kas en de menukaart, maar dat gaat nu goed.'

Ted lachte. 'En je kunt het met iedereen goed vinden, begrijp ik. Dat is heel wat waard. Niet iedereen hier kan dat.' Hij keek naar zijn zoon.

'Wat nou?' riep Giovanni. 'Doe ik het weer niet goed of zo?'

Ted stak zijn hand op naar Rik. 'Doe voorzichtig, Rik. Tot morgen.'

Hij liep naar zijn auto toe. 'Kom je, Gio?'

Zwijgend stapte Giovanni naast zijn vader in de auto en even later reden ze de weg op. Het geluid van de motor stierf langzaam weg.

Rik haalde zijn fiets van het slot en ritste zijn jack dicht. Hij wist niet zo goed wat hij van Giovanni moest denken. Aan de ene kant was het een brutale aap met een grote bek, die precies deed waar hij zin in had, maar tegelijkertijd had hij ook iets aandoenlijks. De blik in zijn ogen toen Ted hem daarnet aankeek was, ondanks zijn aanvallende opmerking, ronduit triest geweest. Het lijdzame volgen naar de auto had dit gevoel alleen maar versterkt.

Rik gaapte. Hij draaide zijn fiets en stapte op. Tegen de wind in trapte hij de parkeerplaats af. De lamp die de parkeerplaats verlichtte was uit, maar Rik kon de contouren van de auto die achteraan stond duidelijk onderscheiden. Voor zover hij wist was dat de auto van Ton, maar dat kon natuurlijk niet. Ton was allang naar huis.

Heel even overwoog Rik of hij de auto moest controleren. Er mochten's nachts geen auto's op dit parkeerterrein blijven staan. Was het een toerist die nog in zijn boot verbleef?

Rik besloot dat het hem niet aanging. Hij kon zich niet om alles druk maken. Hij was moe en wilde naar huis. Met een ferme trap fietste hij de dijk op.

Het werk in restaurant Lekker beviel Rik prima. Hij was nu al drie weekenden iedere vrijdag, zaterdag en zondag present, samen met Ice, Giovanni en de rest. Hij had al snel door dat er door de week, als het wat rustiger was, ander personeel werkte. Ouder en met minder bezetting. Tiny was fulltime in dienst, de rest was oproepbaar en had, net als hij, een nulurencontract.

Ted was de meeste tijd in zijn kantoor. Giovanni, Ice en Rik verdeelden de taken achter de bar en de bediening. En af en toe schoot Jessica te hulp. Rik vond het leuk om achter de bar te staan. Tappen was het leukste wat er was. Het schuim dat langzaam omhoogkwam in het bierglas en dan net voor de rand stopte. Met een spatel streek hij dan het schuim recht en al vrij snel was hij een meester in het tappen van bier.

Ice en Giovanni bleken elkaars tegenpolen. Rik kon met beiden goed overweg en was meestal de sussende spil tussen het tweetal. Dat waardeerde Ted en hij liet dat ook duidelijk merken. Al na de derde week kreeg hij een euro opslag en vertelde Ted dat hij blij was dat Rik zo goed met Giovanni kon opschieten. 'Op de een of andere manier luistert hij naar jou,' legde Ted uit. 'Iets wat hij naar mij al maanden niet doet.'

Rik had wat verlegen gemompeld dat hij daar niets speciaals voor deed, maar dat hij gewoon met zowel Ice als Giovanni goed kon werken.

'Jij bent mijn stukje cement,' lachte Ted. 'Houden zo!'

De opslag was meer dan welkom. Hij had van zijn eerstverdiende geld een game gekocht. Rik had zijn naam hoog te houden en trakteerde geregeld op school op iets lekkers. Zijn klasgenoten gingen er gewoon van uit dat hij per uur gigaveel verdiende. Rik had zich nooit uitgelaten over zijn salaris, maar zelfs Peter gaf aan dat hij jaloers was op Riks baantje. 'Ik dacht dat ik een top-job had,' zei hij. 'Maar jij hebt echt mazzel, man!'

Rik vertelde op school niet zoveel over zijn werk en op zijn werk niet over school. Voor hem waren dit twee aparte werelden. Op school kenden ze hem al jaren als rustig, verlegen en op de achtergrond. De meiden liepen niet bepaald achter hem aan en ook bij de jongens was hij niet de populairste. Maar nu hij een baan had met aanzien, was dat opeens veranderd. Zonder er moeite voor te hoeven doen, kwamen de meiden in de pauze bij hem staan en ook de jongens leken geïnteresseerder in wat hij zei. Op de een of andere manier was het een stuk prettiger op school geworden en Rik genoot ervan. Zelfs het leren ging beter.

Op zijn werk durfde hij inmiddels ook meer. Hij liet niet over zich heen lopen en gaf gebekte antwoorden. Ice daagde hem constant uit, maar hij kon haar aan. De ene keer won Ice, de andere keer hij. Het spel dat ze speelden bracht een soort vreemde spanning teweeg bij hem. Haar opmerkingen waren prikkelend en wonden hem op. Ice was top. Ze ging haar eigen weg, was zelfstandig en liet zich niet in een hoekje duwen. Daar hield hij van. Ze was mooi, sterk en lief tegelijk en hij was graag in haar buurt. Ice was echt zijn maatje.

Giovanni vond dat duidelijk maar niks. Hij liet regelmatig doorschemeren dat hij jaloers was op de aandacht die Rik van Ice kreeg. Hij had zelf een oogje op Ice, maar maakte geen schijn van kans. Dat Ice dikke maatjes was met Rik, was voor hem soms moeilijk te verteren. Maar Rik maakte er geen punt van. Giovanni was helemaal geen partij voor hem. Giovanni had een grote mond, maar een klein hartje. Hij wilde er graag bij horen en dat deed hem vaak zwichten. Ice en Rik wisten precies hoe ze hem moesten bespelen. Ice met haar charmes, hij met zijn nuchtere houding.

Rik was heel even belaagd door Jasmin die geprobeerd had hem te versieren, maar zowel Ton als Tiny hadden daar een stokje voor gestoken. Ton maakte direct duidelijk dat hij onder werktijd geen geflikflooi wilde in de keuken en Tiny riep Jasmin tot de orde toen ze weer eens te lang om Rik heen bleef hangen bij het aanreiken van de bestellingen.

Rik was er blij mee. Hij vond het moeilijk om iemand af te wijzen. Dat was hem zelf twee keer overkomen en hij wist hoe rot dat voelde. Of Jasmin er ook zo mee zou zitten, wist hij niet, maar hij was blij dat hij het niet hoefde uit te proberen.

Dat Jasmin een doorzetter was, bleek wel toen ze een dag later haar charmes op Giovanni afvuurde.

'Die arme jongen gaat binnen een minuut overstag,' grijnsde Ice. 'Wedden?' Rik en zij stonden bij de kassa en zagen hoe Jasmin Giovanni probeerde over te halen om even mee te komen naar de voorraadkast om iets zwaars te tillen.

'Ah, toe Gio... het is te zwaar voor mij. Je moet even helpen.' Jasmin wees naar Ice en Rik. 'Zij letten wel even op. Het kan best.'

Ze knipperde met haar ogen en streek met haar vinger over zijn bovenarm. 'Jij hebt tenminste spierballen.' Haar blik ging naar Rik. 'Als enige hier.'

Ice schoot in de lach. 'Die kun je in je zak steken,' siste ze.

Rik vond het helemaal niet grappig. Hij pakte zijn blocnote en wilde de eetzaal in lopen. De gasten aan de groene tafel op het terras wilden vast wel wat bestellen.

81

De hand van Ice hield hem tegen. 'Niet weglopen. Het wordt nu juist spannend.'

Aarzelend bleef hij staan. Vanuit zijn ooghoeken zag hij Jasmin heel dicht tegen Giovanni aan staan. Zo had ze ook bij hem gedaan. Wat een actrice! Wat wilde ze van Gio? Rik kreeg een angstig vermoeden. Wilde ze hem soms jaloers maken?

'Hij heeft nog tien seconden,' siste Ice hoopvol.

'Wat een dombo,' fluisterde Rik. 'Hij doet al weken zijn best voor jou. Het zou stom zijn als hij nu ingaat op dit domme geleuter.'

'Jongens zijn stom,' zei Ice.

'Dank je.' Rik had hier geen zin meer in. 'Ik ga het terras op. Ze zoeken het maar lekker uit.'

Terwijl hij de eetzaal in liep, zag hij Giovanni met Jasmin mee naar achteren lopen. Ice klapte in haar handen en deed de kassa dicht. 'Yes!' hoorde Rik haar roepen. 'Binnen de minuut.'

Rik kon een glimlach niet onderdrukken. Ice had weer eens gelijk.

De gasten van tafel vier wuifden naar hem. Rik wees naar Ice. 'Mijn collega komt zo bij u.' Hij stak zijn hand op en wees naar tafel vier. Ice zag het en kwam eraan.

Terwijl Rik doorliep naar het terras zag hij Jessica achter de bar schuiven. Ze stak haar duim op om aan te geven dat ze het wel even overnam. Rik knikte.

Die Jessica was inderdaad slimmer dan iedereen dacht. Ze overzag situaties en was steeds op de plek waar het het hardste nodig was. Toch kreeg hij weinig hoogte van haar. Ze vertelde niet veel over zichzelf. Maar dat deed bijna niemand hier, bedacht hij er direct achteraan. Wat wist hij nu eigenlijk over zijn collega's? Ted was de eigenaar en Giovanni was zijn zoon. Ton was getrouwd en had, uit de gesprekken op te maken, een kind van vijf. Tiny was getrouwd met een muzikant, maar een naam had hij nooit gehoord. Bartje woonde in een tehuis, Jasmin was aangenomen door Ton en Jessica was de dochter van de werkster van Tiny. Ze had, volgens Tiny, wat moeite met contacten leggen. Het afwassen was een eerste stap om wat vrijer te worden.

'Onbegonnen werk,' had Giovanni toen gezegd. 'Ze heeft een Chinese muur om zich heen van heb ik jou daar. Die meid is niet te peilen.'

Rik moest hem wel een beetje gelijk geven. Jessica was gesloten en haar gedrag was wisselend. De ene avond gaf ze hem overdreven veel aandacht. Verstolen blikken, toevallige aanrakingen, leuke gesprekken. Maar de avond erna ontweek ze hem weer totaal en bleef ze zoveel mogelijk in de keuken.

'Ze speelt een spelletje met je,' zei Ice toen ze samen terug waren bij de kassa om hun bestellingen in te toetsen. Jessica was druk in de weer met het inschenken van de gevraagde drankjes en kon hen niet horen. 'Zie je dat niet?'

Rik haalde zijn schouders op. 'Nee.' Hij keek naar Jessica die hem een glimlach toewierp, terwijl ze druk bezig was.

'Kijk dan,' siste Ice. 'Ze staat je gewoon te versieren.'

83

'Doe niet zo stom,' antwoordde Rik. 'Ze is gewoon aardig. Ze lacht toch ook naar jou?'

Ice trok het bonnetje van de kassa. 'Meiden weten zulke dingen gewoon. Kijk nou maar uit. Juist bij dat soort types kun je vreemde dingen meemaken. Er moeten stoelen bij komen.'

'Wat bedoel je daar nou weer mee?'

'Gewoon, wat ik zeg. Er zijn te weinig stoelen.'

'Nee, dat andere.'

'O.' Ice boog voorover. Haar lippen raakten zijn oren. 'Hoe stiller ze zijn, hoe heftiger de reactie als je ze afwijst.'

Rik voelde haar adem in zijn oor kriebelen. 'Je gaat nu wel heel ver, hoor!' zei hij. 'Hoeveel stoelen moeten er komen?'

Op dat moment kwamen Giovanni en Jasmin teruggelopen.

'Dankjewel, hè?' Jasmins stem klonk zwoel. 'Als je nog eens wilt helpen?' Ze stond bij de keukendeur.

'Je roept maar,' zei Giovanni die naar de bar liep. 'Thanks, Jes,' zei hij. 'Ik neem het wel weer over.'

Jessica aarzelde even maar liep toen achter Jasmin aan naar de keuken.

'En?' zei Ice die naar het midden van de bar liep. 'Was het erg zwaar?'

'Viel best mee,' antwoordde Giovanni en hij gaf Ice een knipoog. 'Jaloers?'

'Wie? Ik? Tuurlijk niet.'

Rik zag dat Ice even van haar stuk was gebracht door

84

de opmerking van Giovanni. Zou ze dan toch iets voor hem voelen?

'Ik wil met jou ook wel eens wat tillen, hoor,' ging Giovanni verder.

'Nee, dank je.' Ice draaide zich om. 'Ik haal even drie stoelen uit de bijzaal. Ben zo terug.'

Rik legde zijn bonnetje op de bar. 'Vier bier, een cola, een wijn en een cassis.'

'Denk je dat ze jaloers is?' vroeg Giovanni met een grijns.

'Hoe moet ik dat nou weten!' Rik draaide zich om en stoof achter Ice aan. Aan de opmerking van Giovanni te merken was hij op het geflirt van Jasmin ingegaan om Ice jaloers te maken. Misschien had hij Jasmin zelfs wel gevraagd om dit te doen. Giovanni was er creatief genoeg voor.

Ice stond in de bijzaal en stapelde stoelen op elkaar. De stoelen kwamen net iets te hard op elkaar terecht.

'Relax,' zei Rik. 'Giovanni is je alleen maar aan het stangen.'

Ice keek op. 'Huh? Waar heb je het over?'

'Over… ach, laat maar!' Rik stapelde twee stoelen op elkaar. Als Ice er niet over wilde praten, dan niet.

'Jessica is link,' mompelde Ice.

Rik fronste zijn wenkbrauwen. Jessica? Had Ice het nu opeens weer over Jessica?

'Die griet heeft iets vreemds,' ging Ice verder.

'Ze bedoelt er niets mee,' zei Rik die nog een stoel pakte.

Ice schudde haar hoofd. 'Jessica is slimmer dan jij en ik denken,' mompelde ze. 'Ik vertrouw haar niet. Ik zou maar uitkijken als ik jou was. Volgens mij is ze verliefd op je.'

'Verliefd?' Rik kreeg een kleur.

'Is dat zo gek dan?'

'Eh... nee, tuurlijk niet.'

'Je moet het haar gewoon vertellen,' ging Ice verder.

'Wat?'

'Nou, dat je homo bent.'

'Hoe kom je daar nou bij?' Riks stem sloeg over. 'Ik ben helemaal geen homo.'

Ice haalde haar schouders op. 'Je moet het zelf weten. Dat arme wicht doet zo haar best.' Ze tilde haar stoelen op en wilde de zaal uit lopen.

Maar Rik hield haar tegen. 'Luister, Ice! Ik ben geen homo!' Hij sprak de woorden met klem uit en keek haar doordringend aan. 'Integendeel.'

Ice zette de stoelen neer en keek hem vragend aan. Ze zei niets, maar haar ogen spraken boekdelen. Rik wist dat hij nu iets moest zeggen. Ze wachtte. Ze wachtte op zijn uitleg. Hij voelde zijn hart in zijn keel kloppen. Woorden... hij moest de juiste woorden zien te vinden. Ze dachten hier allemaal dat hij op jongens viel, dat meisjes hem niet interesseerden, dat Ice hem niet interesseerde. Hoe kon ze dat nu denken? Hij was juist stapelgek op haar. Als collega... als goede vriendin... Als...

Ice bewoog haar lippen. 'Rik?'

Zijn gedachten stokten en hij voelde zijn benen slap worden. Het enige wat hij nog kon bedenken was dat hij die prachtige lippen wilde zoenen. Nu... hier... Het kon hem niet schelen of iemand het zag. Ze stond vlak voor hem; hij hoefde haar alleen maar naar zich toe te trekken.

'Rik,' fluisterde Ice en haar ogen straalden medelijden uit. 'Het geeft niet. Je...'

Nog voordat ze uitgesproken was, drukte hij zijn mond op haar lippen. Zachte lippen, zoete lippen, lippen die zijn gretigheid beantwoordden. Alles om hem heen vervaagde terwijl hij Ice naar zich toe trok. Een eeuwigheid hield hij haar vast. Zijn lichaam tintelde.

'Stop!' Ice duwde hem weg. 'Niet doen.'

Rik hijgde en keek Ice geschrokken aan. 'Ik dacht...' mompelde hij.

'Je moet niet denken,' was het felle antwoord van Ice. Ze pakte haar stoelen op. 'Dit is niet gebeurd.' Met grote stappen liep ze de bijzaal uit, Rik verbijsterd achterlatend.

Na een paar seconden drong het tot Rik door dat Ice hem had afgewezen. Waarom? Aan haar lippen had hij duidelijk gemerkt dat ze het fijn vond. Wat was er aan de hand?

Rik pakte zijn eigen stoelen op en volgde Ice naar de eetzaal. Hij haalde haar in. 'Je vond het lekker,' fluisterde hij, terwijl hij een stoel aan een lege tafel plaatste. De andere stoel zette hij ernaast.

Ice plaatste haar stoel aan de achterkant van een andere tafel, maar reageerde niet.

'Zeg iets,' siste Rik.

'Er valt niets te zeggen.' Ice veegde haar handen af aan haar sloof.

'Heb je al een vriend?' Rik probeerde wanhopig achter een verklaring te komen, maar Ice gaf niet toe.

'Sorry, Rik. Vergeet het. Dit had niet mogen gebeuren.'

Hot and spicy

Het was zaterdagavond en Rik was al druk in de weer met de eerste gasten die kwamen dineren. Het terras zat vol. De warme voorjaarsavond zorgde voor een gezellige drukte. Ice stond achter de bar, terwijl Giovanni over het terras liep.

Rik had besloten dat hij het voorval met Ice gisteren inderdaad maar het beste kon vergeten. Hij zou zich niet laten kennen. Ice was niet het meisje dat van mening veranderde, dus sloot hij het af. Hij wilde hun vriendschap niet verpesten.

Er kwamen nieuwe gasten. Rik begeleidde hen naar hun tafel, vroeg wat ze wilden drinken en liep naar de bar. 'Een rode en een witte wijn, twee bier, een cola en een jus.'

Ice ging direct aan de slag. Terwijl Rik geduldig wachtte op de bestelling zag hij Jessica binnenkomen.

'Hoi!' Haar gehaaste stem sloeg over.

'Hoi,' zeiden Rik en Ice tegelijk.

'Ik ben weer eens te laat,' hijgde Jessica. Ze hing haar jas aan de kapstok en stoof door naar de keuken.

Rik glimlachte.

'Hier,' zei Ice en ze zette het laatste drankje op het dienblad.

Rik pakte het dienblad op en liep naar de eetzaal. Even later kwam hij terug. 'Nog een bier.'

Ice fronste haar wenkbrauwen, maar zei niets. Ze tapte een biertje en gaf dat aan Rik. 'Dorst?'

'Nee, omgevallen.'

Rik stoof terug de eetzaal in met het nieuwe biertje. Het jongetje dat het biertje had omgestoten stond huilend bij zijn moeder.

'Geeft niets, Pimmetje,' suste de moeder. 'Kan gebeuren. Kijk eens... daar is die meneer al met een nieuw biertje voor opa.'

Rik zette het glas op tafel en pakte het lege glas op. 'Mag ik u verzoeken plaats te nemen aan de tafel bij het raam? Dan kan ik deze tafel opnieuw dekken.'

Het gezelschap verplaatste zich naar de andere tafel en Rik ruimde de tafel af. Het servies en glaswerk zette hij op de bijzettafel, waarna hij het kleed oppakte en in een prop op een stoel legde. Hij liep naar de buffetkast in de hoek van de eetzaal en pakte een nieuw tafelkleed.

Even later was de tafel piekfijn in orde en liep Rik met het vieze tafelkleed richting het washok. Daar stonden grote metalen rekken waar al het vuile wasgoed in werd verzameld. Een stomerij kwam dit om de zoveel tijd ophalen.

Rik deed de deur van het washok open en graaide met zijn hand naar rechts naar het lichtknopje. Nog voordat hij het licht aan kon doen, hoorde hij stemmen. Verbaasd bleef hij staan. Waren er mensen in het washok? Er klonk gelach en opeens realiseerde Rik zich dat hij deze lach eerder gehoord had. Maar waar? Heel even wist Rik niet wat hij moest doen. Weglopen? Maar hij had het vieze tafelkleed nog in zijn arm. En het was druk in het restaurant. Hij kon niet te lang wegblijven.

In de schemering zag hij een van de rekken staan en besloot het tafelkleed erin te gooien. Met een boog vloog het kleed naar voren en kwam met een plof in de kar terecht die heel even rammelde.

'Ik ben nu eenmaal sexy,' klonk er van achter uit het washok. Het meisje lachte. Rik bleef doodstil staan. En zo te horen sprak ze tegen iemand anders. Er klonk geschuifel.

Vliegensvlug glipte Rik naar buiten en sloot de deur zacht achter hem.

'Rik, waar blijf je nou?' Ice kwam aangerend. 'Tafel vijf wacht op drankjes. Ze staan al een tijdje klaar.'

'Ik kom eraan.' Zonder om te kijken liep Rik met Ice mee.

De keukendeur zwiepte open en Jessica stak haar hoofd naar buiten. 'Waar is Ton?'

'Geen idee.' Ice liep zonder om te kijken door naar haar plekje achter de bar.

Rik haastte zich naar de voorkant van de bar en schoof het dienblad op zijn arm. In de gang zag hij Ton uit het washok tevoorschijn komen.

'Pas op.' Ice ondersteunde het dienblad met drankjes. 'Je wiebelt.'

91

Maar Rik hoorde haar niet. Hij staarde naar Ton die met Jessica de keuken in liep. De klapdeuren zwiepten achter hen dicht. Even later ging de deur van het washok nogmaals op een kier en het hoofd van Jasmin kwam tevoorschijn. Met snelle passen liep ze door de gang naar de keukendeur.

'Krijg nou wat,' mompelde Rik.

'Wat?' Ice draaide zich om.

'Nee, niets.' Rik pakte het dienblad stevig vast en liep de eetzaal in. Hij moest hier even rustig over nadenken. Ton en Jasmin in het washok. Zo te horen waren ze geen tafelkleden aan het opvouwen geweest. Zijn gedachten gingen razendsnel. Hetzelfde gelach had hij die avond achter de schutting gehoord. De avond dat de auto van Ton op de parkeerplaats stond, terwijl hij al naar huis was. Ton en Jasmin die altijd gelijktijdig of in ieder geval vlak na elkaar vertrokken. Natuurlijk! Alles klopte. Ton had wat met Jasmin. Nu snapte Rik ook waarom Ton altijd zo overdreven boos deed over Jasmins geflirt met jongens. Hij was gewoon jaloers.

Rik schudde zijn hoofd. De hufter. Ton was getrouwd, had een kind. Wat moest hij met Jasmin? Wat een klojo! Hij...

'Pardon, jongeman.' Een zware mannenstem deed hem opschrikken uit zijn gedachten. Rik knipperde met zijn ogen. Een oudere man pakte een glas bier van het dienblad. 'Zal ik het zelf maar even doen?'

Rik schudde zijn hoofd. 'Nee, nee, sorry... ik was even in gedachten.'

De man lachte. 'Verliefd?'

Rik glimlachte en zette de drankjes op tafel. Even later liep hij terug naar de bar, waar hij de bestelling intoetste.

'Is er wat?' vroeg Ice.

'Nee, niks.' Rik concentreerde zich op de toetsen voor zich, maar voelde de onderzoekende blik van Ice op zich gericht. Hij had absoluut geen zin om haar of wie dan ook te betrekken in wat hij net ontdekt had.

'Ik zie het toch,' ging Ice verder.

Giovanni kwam aangelopen. 'Een bier en twee droge witte wijn.'

Ice zuchtte en liep naar de tap. Giovanni keek van de een naar de ander.

'Heb ik iets gemist?'

'Nee, niks,' zei Rik weer.

Ice schoot in de lach. 'Rik loopt vast. Hij zegt steeds hetzelfde.'

'Wat dan?' vroeg Giovanni.

'Nee, niks,' herhaalde Ice. 'Nee, niks... nee, niks....'

Rik draaide zich om. 'Kappen!' riep hij net iets te hard.

Jessica, die net kwam aanlopen met vier volle borden, bleef van schrik staan. De borden wiebelden.

'Kijk uit!' Giovanni kon een van de borden nog net op tijd redden van een valpartij.

'Dank je,' zei Jessica zacht en ze glimlachte naar Giovanni. Wat onzeker keek ze naar Rik, maar ze zei verder niets.

'Rik is een beetje uit zijn humeur,' legde Ice uit. 'Zomaar, ineens.'

Heel even keek Jessica hem vragend aan. Haar ogen gingen wijd open en haar blik boorde zich recht bij hem naar binnen. Rik sloeg zijn ogen neer en voelde een rilling over zijn rug lopen. Haar blik beangstigde hem. Het was net of ze zijn gedachten kon lezen.

'Ik snap het wel,' zei ze zo zacht dat alleen hij het kon horen en ze liep de eetzaal in.

Rik huiverde. Wat bedoelde ze? Wist ze wat er aan de hand was? Nee! Dat kon niet. Niemand wist dit... toch? Of wist Jessica wel dat Ton en Jasmin iets hadden? En had ze door dat hij het nu ook wist? Het werd nu wel heel ingewikkeld.

'Wat zei ze?' vroeg Ice.

'Geen idee,' bromde Rik en hij pakte zijn blocnote op. 'Aan de slag maar weer.'

De hele verdere avond had Rik het te druk om nog te denken aan het voorval. Zowel de eetzaal als het terras bleef tot laat in de avond bezet met etende gasten. Giovanni en hij liepen de benen uit hun lijf, terwijl Ice tapte. Ook Jessica hielp mee zoveel ze kon. Op een gegeven moment nam zij zelfs de bar over en liep Ice de bediening. Dat ging sneller, zei ze. Bartje, Jasmin en Ton bleven in de keuken, terwijl Ted en Tiny in het kantoor de nieuwe roosters aan het maken waren.

Rond twaalven was de laatste gast vertrokken en was iedereen doodmoe. Ted had ze gisteren gemeld dat ze na afloop vanavond nog even gezellig samen wat gingen drinken, zodat iedereen daar rekening mee kon houden. Zeker een keer per maand organiseerde hij een hapje en drankje na afloop om het teamgevoel te versterken. Rik had dit nog nooit meegemaakt. Vanavond zou de eerste keer worden.

'Opzij!' Jasmin kwam de keuken uit gelopen met een volle vuilniszak in haar ene hand en een doos vol groenafval in haar andere.

Rik, die net de vuile tafelkleden naar het washok had gebracht, nam de doos van haar over. 'Geef mij maar.'

Jasmin keek hem dankbaar aan. 'In de keuken staan nog twee volle zakken.'

'Eerst deze maar even.' Rik deed de deur naar de binnenplaats open en liet Jasmin voorgaan. De container was al aardig vol en ook de groenbak kon niet veel meer hebben. Terwijl Rik het groenafval aandrukte, liep Jasmin terug naar de keuken om de rest van het afval te halen.

'Zo, dit was het,' zei ze toen de zakken in de container lagen. Ze kwam naast Rik staan en streek over zijn arm. 'Bedankt, je bent een schatje.'

Rik sloot de afvalbak en wilde naar binnen lopen, maar Jasmin hield hem tegen. 'Weet je zeker dat je mij niet wilt?' Ze draaide met haar lichaam en kwam tussen hem en de deur in staan.

'Jasmin, stop ermee!' Het was eruit voordat hij er erg in had. 'Je flirt met iedereen, zelfs met zo'n oude vent als Ton.' Rik was verbaasd over zijn eigen felheid; het kon hem op dit moment niets schelen hoe de boodschap aankwam... als ze maar aankwam.

Jasmin deed een stap naar achteren en keek geschrokken. 'Hoe... hoe bedoel je?'

'Dat weet je best! Je rotzooit met Ton... in het washok... en na sluitingstijd hierachter.' Hij wees naar de schutting. 'Je laat je gebruiken en waarom? Voor honderd euro!'

Jasmin sloeg haar ogen neer. Haar lichaam trilde en Rik zag dat haar schouders schokten. Hij besefte dat hij te ver was gegaan. 'Sorry, het zijn mijn zaken niet.'

'Nee!' Het felle antwoord van Jasmin verraste hem. 'Inderdaad, het zijn jouw zaken niet. Je hebt geen idee waar je het over hebt.'

Jasmin draaide zich om en liep naar binnen. Verslagen haalde Rik diep adem. Werkelijk alles ging verkeerd. Kon het nog erger?

Iedereen hielp mee met opruimen en rond enen zaten ze allemaal in de keuken rondom de grote houten tafel. Ted had bitterballen en loempia's gebakken en Ice serveerde voor iedereen een drankje. Het was gezellig druk in de keuken.

Tiny zette de lege emmer bij de deur en liep naar de kraan om haar handen te wassen. 'Geweldige avond, jongens! Jullie zijn echt een team.'

'Bartje hard gewerkt.'

'Ja,' zei Tiny. 'Bartje heeft heel hard gewerkt.'

Rik glimlachte. Bartje bleef altijd positief. Daar konden anderen nog van leren.

'Wij allemaal trouwens,' zei Ton. Zijn blik gleed naar

Jasmin en Rik wendde zijn hoofd af. De slijmerige blik van die vent deed hem bijna kotsen.

Heel even kruiste zijn blik die van Jasmin. Haar ogen stonden fel, alsof ze hem ieder moment aan kon vliegen. Zou ze nou echt gek zijn op die vent? Of was er meer aan de hand? Rik staarde voor zich uit en zag de hand van Jasmin bewegen. De ring! Natuurlijk! Ze had die ring van Ton gehad.

'Een geheime aanbidder,' had ze een tijdje geleden gezegd over de ring en Ton was snel over een ander onderwerp begonnen. Rik had het toen niet in de gaten gehad, maar nu begreep hij waarom. Ton wilde absoluut niet dat dit uitlekte. Die ring... en ook die honderd euro.

Riks gezicht betrok. Als het waar was wat hij dacht, dan was Jasmin niet het zielige meisje dat door Ton werd gebruikt... nee, het was andersom. Zij gebruikte Ton.

Opeens bekeek hij Jasmin met heel andere ogen. Deze omslag was waarschijnlijk van zijn gezicht af te lezen, want Jasmin fronste haar wenkbrauwen en keek hem strak aan.

'Heb ik wat van je aan?' siste ze.

Rik glimlachte. 'Nee, gelukkig niet. Mij te koud.'

Jasmin stond op en liep naar de kraan. In het voorbijgaan gleed ze met haar hand langs Tons arm. Rik registreerde alles. Niemand in de keuken zag het, behalve hij. Alsof Jasmin wilde dat hij het zag. Haar uitdagende blik naar hem toen ze bij de kraan stond, vertelde genoeg.

97

Het drong tot Rik door dat het misschien nog wel erger was dan hij dacht. Heel even keek hij naar Ton die ogenschijnlijk onbewogen voor zich uit staarde. Wat nou als Jasmin Ton chanteerde? Tenslotte was hij getrouwd en had een kind. Als het uitkwam dat hij met Jasmin rommelde, stond zijn huwelijk op het spel. Jasmin had niets te verliezen. Zij kon alleen maar winnen. Een ring, geld en wie weet wat nog meer. Zolang Ton haar gaf wat ze wilde, hield zij haar mond. Zou dat waar kunnen zijn? Had nou niemand hier in de gaten wat er aan de hand was?

'Ook een bitterbal?' Ice hield de schaal met bitterballen voor zijn neus. De lucht van vet en vlees deed hem walgen.

'Nee, dank je.' Rik duwde de schaal van zich af.

'Ze zijn lekker, hoor,' probeerde Ice nog.

'Zal best, maar nu even niet.'

'Is er wat?'

'Nee, hoor. Er is niets, hoezo?' Rik probeerde zo neutraal mogelijk te kijken.

'Hmm, 'k weet niet. Je bent zo… zo afwezig vanavond.' Ze keek naar Jasmin die nog steeds bij de kraan stond. 'Maakt Jasmin het je lastig?'

Rik voelde het bloed naar zijn hoofd stijgen. Shit, dat was wel het laatste waar hij op zat te wachten. Als Ice zag dat hij een rood hoofd kreeg, trok ze vast de verkeerde conclusies. Hij moest iets doen. Maar wat?

Het enige wat hem nog restte was een verschrikkelijke hoestbui voorwenden. Met luid gehoest en geproest duwde Rik zijn hoofd in zijn handen.

Ice liep snel door met haar schaal bitterballen en Rik hoestte nog wat na.

'Glaasje water?' vroeg Jasmin.

'Nee, dank je,' antwoordde Rik. 'Het gaat wel weer.'

De grijns op Jasmins gezicht sprak boekdelen.

Ted schoof een stoel dichterbij en ging er achterstevoren op zitten. 'Zo, jongens! Het was een goede avond. Allemaal bedankt.'

'Ja, de fooien stroomden binnen.' Giovanni keek triomfantelijk. 'Ik kreeg vanavond bijna twintig euro van die ene vent bij het raam. En Ice had een tientje fooi, toch?'

Ted keek bedenkelijk. 'Zeker weten?' vroeg hij.

Ice knikte. 'En van dat ene stel bij het raam kreeg ik zelfs achtentwintig euro. Tjonge, wat was die vent verliefd, zeg. Hij wilde indruk maken op die vrouw, dat zag je zo.'

'Wat is er?' Giovanni keek zijn vader vragend aan.

'Er zit vijf euro in de pot. Vijf euro en een muntje van twintig cent.' Hij legde een briefje van vijf euro op tafel.

'Dat kan niet!' Giovanni stoof op. 'Er moet minstens...' Hij telde zacht voor zich uit. 'Zestig euro in zitten.'

Het gezicht van Ted vertelde genoeg.

'Niet?' vroeg Giovanni.

'Nee.' Teds stem klonk ernstig. 'Ik vond het al zo weinig voor een drukke avond.'

'Maar... hoe kan dat?' Het was nu ook tot Ice doorgedrongen dat er bijna niets in de fooienpot zat.

'Die vijf euro is van mij,' zei Rik. 'Die kreeg ik van tafel acht die net wegging.'

Ted hield het muntje omhoog en er viel een stilte. Iedereen staarde naar het muntje in zijn hand. Rik voelde de sfeer veranderen. Hoe kon de fooienpot bijna leeg zijn? Ice, Giovanni en hij hadden alle fooien netjes in de pot gedaan. Ook hij had minstens twintig euro gevangen vanavond. Zelfs Jessica had het briefje van tien dat ze van een mevrouw had gekregen in de pot gestopt. Ze had hem trots het briefje laten zien, waarna ze het lachend in de fooienpot had geduwd. Haar knipoog daarbij stond op zijn netvlies gebrand. Zoiets kon hij moeilijk vergeten. Had een van de gasten de pot leeggehaald? Nee, onmogelijk. Gasten kwamen niet achter de bar.

Een onrustig gevoel bekroop Rik. Als het niet een van de gasten was, dan bleef er nog maar één mogelijkheid over: een van hen had de fooienpot geleegd.

'Heb je het niet toevallig al ingeboekt?' vroeg Jasmin.

Ted glimlachte minzaam. 'Ik ben niet gek, Jasmin! Fooien boek je niet in.'

Giovanni propte een bitterbal in zijn mond. 'Nou, lekker dan. Daar gaat mijn extraatje.'

'Dat extraatje kan me gestolen worden,' riep Tiny. 'Ik maak me meer zorgen om het feit dat er hier dus een dief rondloopt.'

'Nee? Echt?' Jasmin boog voorover en pakte een loempiaatje. 'Hoe kan dat nou?'

'Bartje is geen dief.'

Rik zag dat Bartje begon te trillen.

'Bartje is geen dief,' herhaalde Bartje.

Jessica sloeg een arm om hem heen. 'Rustig maar. Jij bent geen dief.'

'Dieven zijn niet lief,' ging Bartje verder.

Terwijl Jessica Bartje troostte, ging Jasmin weer zitten. 'Pfff, heet!' Ze blies naar de half afgehapte loempia in haar hand.

Ted leunde achterover. 'Niet alleen de fooienpot is leeg, ik heb ook al een tijdje voorraadverschil. Ik dacht eerst dat het toeval was. Een voorraad wil nog wel eens verschillen van de officiële lijst, maar ik begin me nu toch zorgen te maken en vraag me af of het een met het ander te maken heeft misschien.'

'Denk je dat een van de gasten...' verder kwam Jasmin niet.

'Ik denk helemaal niets,' zuchtte Ted. 'Hou allemaal je ogen en oren open. Zodra je iets ziet wat niet klopt, dan meld je dat bij mij, begrepen?'

Iedereen knikte.

'Bartje oren open. Bartje ogen open.'

'Inderdaad, Bart,' zei Ted. 'Oren en ogen open. Als dit nog een keer gebeurt, moet ik de politie erbij halen. Hopelijk is dat niet nodig en legt de dief het geld terug waar het hoort.'

'Hoezo?' Ice fronste haar wenkbrauwen. 'Denk je dat een van ons...'

'Nogmaals, ik denk helemaal niets op dit moment, maar voel des te meer.'

Er viel een beladen stilte. Rik besloot zijn mond te houden. Ieder woord was op dit moment te veel.

Jessica verbrak de stilte. 'Wie doet nu zoiets?'

'Iemand die in het weekend komt,' mompelde Ice. Ze keek op. 'Dat is toch zo, Ted?'

Ted knikte. 'Ja, het lijkt erop.'

Jasmin keek naar Rik. 'Hoelang werk jij hier nu al?' Het was alsof een bliksemschicht zich door zijn lijf boorde. Rik hapte naar adem. 'Zeg, hee! Bedoel je dat ik...'

'Ik bedoel helemaal niets,' viel Jasmin hem in de rede. 'Ik denk gewoon hardop.'

'Niet doen,' brieste Rik. 'Er komt alleen maar ellende van.'

Rik voelde dit als een persoonlijke aanval. Dachten ze nu werkelijk dat hij een dief was?

'Sorry, hoor.' Jasmin wiebelde op haar stoel heen en weer en keek poeslief. 'Ik wist niet dat je kwaad werd.'

Rik voelde dat iedereen naar hem staarde. Jasmin was slimmer dan hij dacht. Haar slijmerige houding stak schril af bij zijn boosheid. Ze speelde het spelletje briljant. Rik bond in. 'Ik ben niet kwaad,' zei hij zo rustig mogelijk. 'We moeten elkaar alleen niet gaan beschuldigen op basis van niets. Daar schiet niemand iets mee op. We kunnen allemaal wel iets over elkaar vertellen, toch?' Zijn doordringende blik deed Jasmin de ogen neerslaan. Bingo! Ze begreep hem. Hopelijk hield ze nu rekening met het feit dat hij meer van haar wist dan zij van hem.

Ted greep in. 'Rik heeft gelijk, jongens! Geen beschuldigingen over en weer. Ik leg het gewoon in vertrouwen bij jullie neer. Meer kunnen we nu niet doen. Begrepen? Vanaf nu is het opletten geblazen.'

Er werd instemmend gemompeld, maar de sfeer was duidelijk omgeslagen. Rik wist dat hij op zijn hoede moest zijn. Hij was hier de nieuweling. Jasmin was duidelijk uit op wraak. Hij moest zich voorlopig maar even gedeisd houden.

Over de tong

De zondagavond verliep vrij rustig. Rik deed zijn werk, praatte zo weinig mogelijk met iedereen en ging iedere confrontatie uit de weg. Ice liet duidelijk merken dat ze het wel prettig vond zo. Jasmin zorgde ervoor dat ze Rik niet tegenkwam en Giovanni had zo te zien helemaal niets in de gaten. Hij was gewoon lekker zichzelf. Jessica bleef in de keuken en Bartje werkte niet. Al met al een rustige avond.

Rik was de eerste die vertrok. Het liefst wilde hij nog even blijven om niet de indruk te wekken dat hij zich schuldig voelde, maar Ted zei dat hij naar huis kon. Om zo min mogelijk problemen te maken, zei Rik iedereen gedag en liep naar buiten.

Terwijl hij het sleuteltje van zijn fiets uit zijn broekzak graaide, keek hij door de glazen voordeur naar binnen. Ted en Ice stonden te praten en aan de gebaren te zien ging het er heftig aan toe.

Rik voelde zich ongemakkelijk met de situatie. Waar hadden ze het over? Was hij door Ted naar huis gestuurd om hem uit de buurt te houden? Hadden ze het over hem?

Het slot van zijn fiets klikte open en Rik trok zijn fiets uit het rek. De auto's van Ton en Ted stonden nog op de parkeerplaats. De scooter van Ice en de fiets van Jasmin stonden bij de ingang. Tegen de boom verderop zag hij nog een fiets. Waarschijnlijk die van Jessica. Om tijd te rekken zette hij zijn rechtervoet op de fietsstang en maakte hij zijn veter los. Terwijl hij de veter aantrok en de strik opnieuw legde, gluurde hij met een schuin oog naar binnen. De lichten van de parkeerplaats waren een paar minuten geleden uitgegaan. Het was donker buiten. Zij zagen hem niet, hij hen wel.

Jasmin kwam de gang in gelopen. Ze pakte haar jas van de kapstok en Rik zag dat ze haar hand opstak. Snel haalde hij zijn voet van zijn fiets en trok de fiets uit het rek. Binnen een paar seconden stond hij met fiets en al achter de struiken aan de donkerste kant van de parkeerplaats.

'Tot volgende week,' hoorde hij Jasmin zeggen. De deur klapte achter haar dicht. Rik kon tussen de takken door zien hoe Jasmin naar haar fiets liep en het slot van haar fiets haalde. Met de fiets aan haar hand liep ze het parkeerterrein op. In plaats van de weg op te gaan, begaf ze zich naar de auto van Ton. Gespannen keek Rik toe hoe ze haar fiets tegen een boom zette en bleef staan.

Even later kwam Ton naar buiten. Rik bukte even toen Ton naar zijn auto liep. Er klonk een kleine piep van de autosleutel en Rik zag Ton en Jasmin instappen. Rik verwachtte het starten van de motor, maar in plaats daarvan bleef het stil. Het lampje van de auto vervaagde en Rik kon alleen nog de contouren van de auto zien. De twee personen in de auto kon hij niet meer onderscheiden, maar hij vermoedde wel wat ze daar deden. Het licht van de lantaarnpaal aan de kant van de weg reikte net niet ver genoeg om de auto te beschijnen. Nu snapte Rik ook waarom Ton zijn auto altijd daar, aan het eind van de parkeerplaats, parkeerde. Hij en Jasmin waren zo niet te zien.

Rik overwoog om naar de auto te sluipen, maar voordat hij een beslissing kon nemen, ging de voordeur opnieuw open en kwam Jessica naar buiten. Ze bleef heel even staan en Rik bukte weer. Hij wilde het risico niet lopen dat ze hem zag. Op geen enkele manier mocht hij verdacht overkomen.

Rik hoorde de voetstappen van Jessica passeren. Haar fiets klikte van het slot en even later hoorde hij haar wegrijden. Op dat moment schoten de lichten van Tons auto aan en startte de motor. Langzaam reed de auto de parkeerplaats af. Rik kon Ton en Jasmin duidelijk onderscheiden.

Hij voelde zijn hart in zijn keel bonken. Een vreemde spanning maakte zich van hem meester. Alsof er ieder moment iets kon gebeuren dat zijn leven totaal ging veranderen. Dat onbestemde gevoel had hij één keer eerder gehad, jaren geleden, toen hij als jongen van twaalf in het openluchtzwembad was en naar zijn handdoek liep. Het was druk in het water, er werd gespetterd, gelachen en gezwommen. Ook toen had hij een vreemd gevoel gekregen. Het gevoel dat er iets niet klopte. Vanuit zijn ooghoeken had hij het lichaam van een meisje geregistreerd dat in het water dreef. Armen wijd, op haar buik, alsof ze aan het snorkelen was. In alle drukte had hij meteen begrepen dat ze niet snorkelde en hij was in het water gesprongen. Het meisje was snel op de kant gelegd en Rik had de longen uit zijn lijf geschreeuwd naar de badmeester die aan de andere kant van het zwembad stond. Alles was in een flits gebeurd en Rik kon zich de beelden en het gevoel van die dag nog steeds haarscherp herinneren. Datzelfde onrustige gevoel had hij nu weer.

Rik keek om zich heen. Jessica was weg. Ton en Jasmin waren weg, Ted, Ice en Giovanni waren nog binnen. Het liefst wilde hij nu naar huis fietsen, weg van hier. Maar iets hield hem tegen.

Op dat moment kwamen Ice, Ted en Giovanni naar buiten.

'Ik ben blij dat je ons in vertrouwen hebt genomen,' zei Ted.

Ice liep naar haar scooter toe. 'Het is misschien niets,' hoorde Rik haar zeggen.'Maar ik vond toch dat ik het moest zeggen. Ik vergeef het mezelf nooit als het achteraf belangrijk was geweest.'

'Zoende hij lekker?' Giovanni's stem klonk lacherig.

Ice reageerde fel. 'Je houdt je mond, oké?'

'Ja, ja, rustig maar. Ik mag toch wel vragen of...'

'Nee, dat mag je niet. Ik heb dingen in vertrouwen verteld aan je vader.'

'Ik hoorde het toevallig.'

'Bij jou is niets toevallig.'

Ted greep in. 'Ik wil hier geen woord meer over horen, begrepen? Wat Ice vertelde over Rik blijft tussen ons. Laat ik niet merken dat er geluld wordt!' De toon van Ted liet niets te denken over.

Rik voelde zijn hoofd bonken. Begreep hij het nou goed? Had ze verteld over hun zoen? Rik voelde een verschrikkelijke boosheid opkomen. Wat gemeen van Ice! Waarom had ze dat gedaan?

Rik hield zich staande aan zijn fiets. Het antwoord kwam eerder dan hij dacht.

'Ik hou niet van klikken,' ging Ice verder. 'Maar ik ben niet de enige die vindt dat Rik vreemd doet. Jasmin vertelde mij dat Rik haar ook wilde versieren.'

Terwijl Rik van boosheid zijn stuur bijna fijnkneep, schoot Giovanni in de lach. 'Was het niet eerder andersom, Jasmin kennende?'

'Weet ik veel. Ik weet alleen dat Rik vanavond vreemd deed, schichtig, alsof hij iets voor ons verborg.'

'Ik heb niets gemerkt,' zei Giovanni.

'Jij merkt nooit iets,' beet Ice hem toe. Ze keek naar Ted. 'En dat van die champagne klopt ook niet. Begrijp me goed. Ik vind Rik niet verkeerd, maar ik wil niets achterhouden wat van belang kan zijn. Tot volgende week.' Het geluid van een scooter klonk en even later reed Ice de parkeerplaats af.

Ted en Giovanni liepen naar hun auto en Rik hield zich muisstil.

'Ik vind Rik best cool,' ging Giovanni verder. 'Beetje soft misschien. Maar ik geloof niet dat hij het is, pap.'

'Ice voelt dingen goed aan,' zei Ted. 'Ze werkt hier al twee jaar en als zij zegt dat Rik vreemd doet, dan geloof ik dat direct.'

'Vreemd?' Rik mompelde in zichzelf. 'Doe ik vreemd?'

'Het kan ook een gast zijn,' ging Giovanni verder en Rik was blij dat tenminste nog iemand het voor hem opnam.

'Geloof je het zelf,' bromde Ted. 'Een gast slaat geen verkeerde dingen aan op de kassa.'

'Maar Rik is nieuw, dan maak je fouten. Ik sla ook wel eens iets verkeerds aan.'

'Ice en jij zeggen dat hij vanavond een fles champagne heeft uitgeschonken aan gasten. Zoiets valt op. Hij heeft die fles aangeslagen op de kassa. Zo'n fles kost vijftig euro. En een uur later slaat hij die fles weer af op de kassa. Alsof die nooit besteld is. Maar die fles is wel weg uit mijn voorraad. Hij is wel degelijk uitgeschonken.'

'Waarom zou Rik die fles weer afslaan?'

'Om het geld te vangen natuurlijk. Als gasten wel betalen voor champagne, maar hij staat niet in de kassa, blijft er vijftig euro over die je in je zak kunt steken.'

'Kassa!' mompelde Giovanni. 'Da's veel geld.'

'Ik bedoel maar.'

Rik balde zijn vuisten. Wat stonden ze daar nu te bazelen? Had hij champagne aangeslagen en daarna weer afgeslagen? Dat was helemaal niet waar. Hij had de fles netjes op de nota gezet en het geld in de kassa gedaan. Hij herinnerde zich het stel dat de champagne bestelde nog heel goed. Verliefd, druk met elkaar, giechelend. Ze hadden de champagne in een mum van tijd op. Hij had hun zelfs nog een tweede fles proberen te verkopen, maar de jongen had gezegd dat dat te kostbaar werd. Dus wat bedoelde Ted nu precies?

'En er is meer,' ging Ted verder. 'Vorig weekend heeft Rik twee keer zeetong ingetoetst en later op de avond weer uitgeslagen. Ik durf te wedden dat Ton de vis wel heeft geserveerd, want hij heeft nieuwe besteld. Daarom kreeg ik het budget niet rond vorige week. Ik had geen idee waardoor het kwam, maar nu begin ik een angstig vermoeden te krijgen. Ton is nu al weg, maar ik vraag het hem morgen meteen. Hij houdt de voorraad in de keuken bij. Wie weet is er op deze manier al meer verdwenen.'

'Twee keer zeetong,' rekende Giovanni hardop. 'Dat is twee keer veertig euro.'

'Juist, tachtig euro... foetsie. En ik was er nooit achter gekomen als Ice mij niet toevallig had verteld dat Rik champagne had geschonken. Toen herinnerde ik mij de afgeslagen fles op zijn bonnen.'

'Ik vind het wel erg ver gaan,' zei Giovanni. 'Ik kan me niet voorstellen dat Rik zoiets doet.'

'Ik ook niet,' zei Ted. 'Dat afslaan kan nog steeds een vergissing zijn, maar nu de fooienpot leeg is, wordt het wel heel onaangenaam.'

Giovanni deed het autoportier open. 'Er zit maar één ding op: vraag het Rik zelf.'

Ted stapte in en Rik kon zijn laatste woorden nog net verstaan. 'Ik ga morgen met hem praten.'

Met een klap viel de deur dicht en even later reed de auto met Ted en Giovanni de parkeerplaats af. Een paar seconden bleef Rik staan. Onbeweeglijk. Het was of alle spieren tegenwerkten. *Alleen zijn gedachten gingen als een razende tekeer. Beschuldigden ze hem nu van diefstal?* Had hij iets verkeerds op de kassa gedaan? Maar dat was helemaal niet zo. Hij had alles keurig aangeslagen en wist zeker dat hij geen fouten had gemaakt de afgelopen weekenden. En de fooienpot had hij al helemaal niet leeggeroofd. Boos en teleurgesteld tegelijk trok hij zijn fiets achter de struiken vandaan. Hij kreeg de schuld van iets wat hij niet had gedaan en hij zou dit tot op de bodem uitzoeken. Hij liet zich niet vals beschuldigen!

Rik had de hele nacht niet geslapen. Er spookte van alles door zijn hoofd. Het voelde alsof er een groot zwaard boven zijn hoofd hing dat ieder moment naar beneden kon vallen. Zijn ouders waren al vroeg in de ochtend aan het rommelen in huis, maar Rik bleef in bed liggen. Klaarwakker, maar dat hoefden zijn ouders niet te weten. Hij had geen zin in vervelende vragen. Zijn moeder was een kei in gedachtelezen. Zodra ze hem zou zien, zou ze direct weten dat er iets aan de hand was.

Rond enen, toen hij zijn ouders de deur uit hoorde

gaan voor hun zondagmiddagwandeling, stond hij op. Met een bonkend hoofd liep hij naar de douche. Hij had zijn hersenen suf gepiekerd over hoe hij vanmiddag moest reageren als Ted hem confronteerde met de afgeslagen fles champagne. Dat van de zeetong kon hij zich niet meer herinneren. Hij had de afgelopen weekenden geregeld zeetong besteld gekregen. Hij wist echt niet meer of er twee waren afgeslagen. Hij dacht van niet, maar zeker weten deed hij het niet. Het feit dat hij op de hoogte was van Teds verdenkingen maakte het extra moeilijk. Hij kon nooit meer onbevangen reageren. Daarentegen kon hij ook niet laten merken dat hij het al wist, want dat zou betekenen dat hij moest toegeven dat hij Ted en Giovanni had staan afluisteren. Dat was op zich al verdacht genoeg.

Rik liet het warme water over zijn lichaam stromen en sloot zijn ogen. Heel even ontspande hij. Hij kon zich natuurlijk ziek melden, maar dat zou de verdenking alleen maar aanwakkeren. Nee, hij moest straks gewoon naar zijn werk en net doen of hij van niets wist. Tegelijkertijd bedacht hij zich dat als hij de dief van de fooienpot niet was, wie het dan wel zou zijn? Een van de gasten leek uitgesloten. Dat betekende dat het inderdaad iemand van het personeel moest zijn. Hij had vannacht alle collega's de revue laten passeren, maar het had niets opgeleverd. Ton had het veel te druk met Jasmin en vice versa. Jessica was er te verlegen voor en hielp hen juist steeds uit de brand. Het feit dat Ice over hem had staan praten, gaf aan dat ze meedacht. Dat ze de dader ook wilde vinden. Maar aan de andere kant kon ze zo ook de aandacht van zichzelf afleiden. Door hem zwart te maken, zou Ted gaan twijfelen. Hoe goed kende hij Ice eigenlijk? Ze leek zo aardig en eerlijk. Kon zij het gedaan hebben? Kon ze zo goed toneelspelen dat ze zelfs hem om de tuin leidde?

Giovanni was net zo verbaasd geweest als hij toen Ted vertelde van de fooienpot en Bartje was uitgesloten. Tiny was, voor zover hij had kunnen nagaan die avond niet eens in de buurt van de fooienpot geweest. Ze had bijna de hele avond met Ted in het kantoor gezeten om de roosters te maken. Er bleef gewoon niemand over die verdacht overkwam. En toch moest iemand het gedaan hebben.

Rik droogde zich af, kleedde zich aan en smeerde een paar broodjes voor zichzelf. De krant lag open op tafel en hij ging zitten. Zonder de inhoud echt tot hem door te laten dringen, gleed zijn blik over de koppen, terwijl hij zijn brood naar binnen werkte. Hij had geen idee hoelang hij aan tafel had gezeten, maar dorst dreef hem naar de koelkast.

Nadat hij het al geopende pak jus d'orange naar binnen had geklokt en zijn bord in de afwasmachine had gezet, keek hij op de klok. Het was halfdrie. Zijn ouders zouden rond drieën weer terug zijn. Meestal dronken ze samen nog wat voordat hij naar zijn werk ging, maar vandaag kon hij dat niet opbrengen.

Snel schreef hij een briefje en legde dat op de tafel.

Moest eerder beginnen. Tot vanavond.
Rik

Hij pakte zijn werkkleding, schoenen en deodorant in en verliet het huis. Het was mooi weer en Rik fietste de straat uit in de richting van het centrum. Het was zondag, de winkels waren gesloten, dus liep hij niet het risico een bekende tegen te komen. Hij had even geen zin in gedoe. De meesten van zijn vrienden en klasgenoten waren nu op het sportveld te vinden of op het strand. Gesloten winkels en lege straten waren niet bepaald aantrekkelijk voor zijn leeftijdsgenoten.

Rik had niet zoveel op met balsporten. Hij was daar gewoon niet zo handig in. Vroeger had hij een paar maanden op voetbal gezeten. Gewoon, omdat iedereen op voetbal ging, maar al snel had hij door dat hij er helemaal niets aan vond. Daarna had hij tennis, hockey en judo geprobeerd, maar geen van deze sporten vond hij echt leuk. Gelukkig had zijn moeder door dat hij meer een individualist was, iemand die liever alleen sportte in plaats van in teamverband. Ze had hem opgegeven voor schaatsles en dat was een goede zet geweest. Rik schaatste graag en goed. Hij zat nu in de schaatsploeg van de regio en mocht aan wedstrijden meedoen.

Schaatsen doe je alleen. Jij en het ijs. De wind langs je kop en je spieren aangespannen om tot het uiterste te gaan. Een race tegen de klok. Heerlijk! Rik genoot van de kick van de start, het startschot, de ontlading van al je spieren om direct daarna snelheid te maken om door te gaan. De bocht, de techniek van het overstappen, het schuin hangen tegen de zwaartekracht in om nog meer vaart te maken. Het kloppen van je hart als je de bocht uit kwam en wist dat je voorlag op je tegenstander. Dat was het mooiste wat er was.

Jammer genoeg was het schaatsseizoen in maart afgelopen en moest hij weer wachten tot oktober, als de banen weer opengingen. In de zomer trainde hij wel door te fietsen en skeeleren, maar niet zo fanatiek als in de winter.

Rik fietste langs de parkeergarage en sloeg de Hoofdstraat in. Op een enkele wandelaar na was de straat uitgestorven. Rik slingerde zijn fiets van links naar rechts om de paaltjes heen die langs de kant stonden. Hoewel de Hoofdstraat een voetgangersgebied was, mochten er op gezette tijden auto's en vrachtwagens de straat in om te laden en te lossen bij de winkels. De paaltjes beschermden dan de voetgangersdoorgang langs de winkels.

Zwierend bereikte Rik het eind van de straat en hij besloot de Kerkstraat in te gaan. Misschien had hij geluk en was de ijswinkel open. Hij had nog drie kwartier voordat hij in het restaurant moest zijn en een ijsje ging er wel in.

Rik passeerde een man die zijn hond uitliet en gedag zei.

'Dag,' antwoordde Rik en hij ging de hoek om. Een glimlach verscheen op zijn gezicht toen hij de vlaggen van de ijswinkel zag.

Bijna tegelijkertijd zag hij Jessica. Ze liep aan de overkant van de straat in de richting van de bushalte.

'Hee, Jessica!' Rik stuurde zijn fiets naar de overkant
van de straat. Vlak voor Jessica kwam hij tot stilstand.

Slagroomsoesje

'Hoi.' Rik zette zijn voet op de grond en stapte af. Op de een of andere manier was hij blij dat hij Jessica zag. Niemand anders van restaurant Lekker had hij nu tegen willen komen, maar Jessica was een uitzondering. Ze was zo naturel, zo basic. Je voelde je meteen op je gemak bij haar.

Jessica leek te schrikken van zijn remactie; ze deed een stap naar achteren.

'Ik ben het maar,' zei hij lachend. 'Rik!'

Jessica ontspande. 'Sorry, ik dacht...' Ze zweeg en keek langs Rik naar de lege straat. 'Hoe is het?'

'Goed. Moet je ook zo aan het werk?'

'Eh... ja, maar pas om acht uur, hoor. Jij begint eerder, denk ik.'

Rik knikte. 'Vier uur.'

'Dan ben je vroeg.'

Rik was even in verlegenheid gebracht. 'Ja, het was zulk mooi weer. Ik dacht, ik fiets een stukje voordat ik weer aan het werk moet en haal een ijsje.'

Er viel een ongemakkelijke stilte. Zijn ogen ontwijkend keek Jessica naar de grond. Rik vond het op de een of andere manier verleidelijk dat juist Jessica, een van de oudste meiden in het restaurant, op Tiny na dan, zo verlegen deed. Kwam het door hem? Zou ze hem leuk vinden?

'Wil je er ook eentje?' Het was eruit voor Rik er erg in had.

Jessica aarzelde. 'Ik...' Ze beet op haar lip.

'Ik trakteer,' zei Rik.

Jessica's gezicht klaarde op. 'Ja, lekker.' Haar stralende glimlach deed Rik goed.

Ze liepen samen naar de ijswinkel en Rik zette zijn fiets in het rek. 'Ben jij ook zo gek op ijs?' vroeg hij. Jessica lachte. 'Verslaafd,' zei ze. 'Vooral aan slagroom. Slagroom is het allerlekkerste wat er bestaat. Als ik het geld had, nam ik iedere dag een ijsje.'

'Woon je hier in de buurt dan?'

Jessica aarzelde maar knikte toen. 'Ja, hierachter.' Ze wapperde wat met haar hand. 'Jij niet zeker?'

Rik schudde zijn hoofd. 'Nee, ik woon in de nieuwbouwwijk. Dit is niet echt een doorgangsroute voor mij. Meestal fiets ik direct via de dijk naar het restaurant en voor school moet ik juist aan de oostkant van de stad zijn. Zit jij ook nog op school?'

Jessica's mond vertrok. 'Ja, officieel nog wel.' Ze zuchtte. 'Ik studeer Sociaal Pedagogisch Werk, tweede jaar, maar het lukt niet erg. Ik overweeg om te stoppen.'

'Niet leuk?' vroeg Rik die niet zo goed wist wat die studie inhield.

'Nee, nee, dat is het niet.' Jessica dacht na. 'Ik vind

het leuk om met jeugd om te gaan, ze te helpen en te begeleiden.'

'Maar?'

'Soms wordt het gewoon te zwaar. Er zijn zo veel jongeren met problemen. Ik weet nu al dat ik dat nooit allemaal op kan lossen.'

'Moet dat dan?'

'Nee, nee, natuurlijk niet.' Jessica haalde diep adem. 'Ik weet niet goed hoe ik het moet zeggen, maar ik ben er gewoon te veel bij betrokken.' Ze glimlachte. 'Ik ben misschien wel te gevoelig.'

Rik keek opzij naar Jessica's gezicht. Haar bruine ogen staarden in de verte. Nu pas zag Rik dat ze een wipneusje had en prachtige donkere wenkbrauwen. 'Daar is niets mis mee,' zei Rik. 'Juist dat maakt dat je die studie wilde gaan doen, toch?'

Jessica keek hem aan. 'Ja, je hebt gelijk.' Haar mondhoeken krulden. 'Het één kan niet zonder het ander. Ik vind het fijn om problemen van anderen op te lossen, maar tegelijkertijd trek ik het mezelf allemaal zo aan. Als ik doorga met die studie, en dat wil ik best graag, dan zal ik daar mee moeten leren omgaan.' Ze keek naar Rik. 'Wat minder het leed van de wereld op mijn schouders nemen, zeg maar.'

Rik glimlachte wat ongemakkelijk. Hij had geen flauw idee wat hij nu moest zeggen.

Jessica lachte. 'Sorry, ik draaf een beetje door.'

Ze stonden voor de glazen vitrine waarachter wel dertig smaken ijs in bakken lagen.

De vrouw achter de vitrine keek hen vragend aan. 'Wat mag het zijn?'

Rik wees op de oubliehoorntjes. 'Twee oublies graag.'

De vrouw pakte twee hoorntjes.

'Eén bolletje chocolade,' zei Jessica. 'Met extra veel slagroom, graag.'

Terwijl de vrouw de bol ijs op de hoorn duwde, keek Rik naar het gezicht van Jessica dat straalde bij het zien van het ijsje dat ze zo dadelijk zou krijgen. Rik glimlachte. Jessica mocht dan een grijze muis zijn, bedacht hij, maar ze kon de kleine dingen wel waarderen. Hoe anders was dat met meiden als Jasmin. Die waren alleen maar blij te maken met sieraden, opvallende kleding of dure schoenen. Jessica was zo gewoon... De slagroom op haar ijsje was genoeg om haar op te vrolijken.

'En jij?' De vrouw van de ijswinkel stond met de ijsschep in haar handen te wachten.

'Citroen en banaan,' zei Rik en hij haalde een briefje van twintig uit zijn broekzak. Nadat hij afgerekend had, propte hij het wisselgeld terug in zijn broekzak. Ze gingen op de bank zitten die iets verderop in de straat stond. Jessica zette haar tas naast hem neer en ging aan de andere kant van Rik zitten. Zwijgend likten ze aan hun ijsje. Rik wist niet zo goed hoe hij het gesprek moest voortzetten. Jessica zelf scheen niet meer de behoefte te hebben om te praten. Ze genoot zichtbaar van haar ijsje.

'Vind je het leuk werk?' vroeg Rik. 'Dat afwassen bedoel ik.'

'Gaat wel,' antwoordde Jessica. Er zat een klodder slagroom op haar neus.

'Mag ik even?' Rik veegde de klodder weg en likte de slagroom op. 'Je kunt ook goed bedienen.'

'Ja.'

Rik schoof wat ongemakkelijk heen en weer. De spraakwaterval van daarnet was duidelijk opgedroogd. Hij moest de woorden uit haar trekken. 'Is dit je eerste baantje?'

'Ja.'

'Van mij ook,' zei Rik.

Jessica keek op, maar zei niets.

'Ik weet het,' zei Rik. 'Je vraagt je nu natuurlijk af waarom ik niet als afwasser begon?'

Jessica glimlachte. 'Eigenlijk wel, ja. Ik had jouw baantje ook wel gewild. Dat verdient vast meer.'

'Dat weet ik niet,' zei Rik. 'Maar ik ben er wel blij mee. Het is leuk werk.' Hij dacht na. 'Ik snap ook niet precies waarom ik de bediening in mocht. Misschien kwam dat omdat jij al bij de afwas stond?'

'Nou, lekker dan,' zei Jessica en ze beet in haar hoorntje. 'Ik ben een week voor jou begonnen. Was ik net te vroeg.'

'Dus jij werkt er ook pas?'

'Ja.'

'Ik hoorde dat Tiny jouw moeder kent?'

Jessica's tanden bleven in het laatste stukje hoorn staan. Ze leek verbaasd. 'Hoe weet jij dat?'

'Van horen zeggen.'

'Van wie?'

'O, dat weet ik niet meer.' Rik had echt geen idee meer van wie hij het had gehoord. 'Is dat belangrijk dan?'

'Nee, niet echt.'

Rik keek Jessica aan en propte het laatste stukje koek in zijn mond. 'Er wordt zoveel geroddeld. Je zult ook best wel verhalen over mij gehoord hebben?'

'Misschien.'

Rik zuchtte. Dit schoot niet op. 'Ik denk dat ik maar eens ga.'

Jessica keek op. 'Nu al?' Ze keek op haar horloge. 'Dan ben je veel te vroeg.'

'Ik vermaak me wel,' antwoordde Rik koeltjes. Hij had de boodschap begrepen. Jessica had duidelijk geen zin meer in zijn gezelschap. Hij zou haar niet langer ophouden. Wel flauw. De oren van je hoofd kletsen over jezelf, een ijsje aannemen en dan zo stug reageren.

'Je gaat toch niet weg om mij?' Jessica keek hem met grote ogen aan.

Rik haalde zijn schouders op. 'Je zit niet echt op mij te wachten, merk ik.'

Jessica sloeg haar ogen neer. 'Sorry, dat schijn ik nu altijd te doen.'

'Wat?'

'Mensen afschrikken.' Ze legde haar hand op zijn arm. 'Je hoeft voor mij niet weg.' Haar vingers klemden zich vast, alsof ze hem niet wilde loslaten. 'Ik ben nogal wisselend druk en stil. Het ene moment ratel ik maar door en het andere moment weet ik niet wat ik moet zeggen. De woorden komen dan gewoon niet. In mijn hoofd is het best druk, hoor! Daar gebeurt van alles, maar ik weet nooit zo goed hoe het eruit moet en of het eruit moet. En als ik dan wat zeg, dan is het vaak niet te stoppen, of...'

'Ho, ho, ho!' Rik lachte. 'Dat zijn wel heel veel woorden tegelijk.'

'O, sorry, ik...'

'Nee, geeft niet.'

Het was even stil. Rik voelde zijn hart in zijn keel bonken. Jessica liet haar hand van zijn arm glijden en vouwde haar handen samen. Zwijgend bleven ze zo een paar seconden zitten.

Jessica was de eerste die sprak. 'Dankjewel voor het ijsje.'

Rik knikte.

'Je bent best aardig.' Jessica's stem klonk zacht, alsof ze de woorden fluisterde.

'Best?' Rik glimlachte.

De paniek in Jessica's ogen maakte dat hij spijt kreeg van zijn opmerking.

'Nee, nee,' zei Jessica. 'Ik zeg het weer niet goed. Zie je nou wat er gebeurt? Ik wil –'

Rik liet haar niet uitpraten. 'Het is goed, Jessica. Ik snap wat je bedoelt.'

'Echt?'

'Echt!'

'Ik wil niet dat je denkt...'

'Ik denk helemaal niets meer,' zei Rik.

'Misschien…'

De brommer die op dat moment langsreed was een welkome afwisseling. Het lawaai van de motor vulde de lege straat en Rik had een moment om na te denken. Jessica bracht hem in de war. Ze reageerde steeds weer anders. Haar gehakkel daarnet maakte hem nerveus. Ze wilde van alles zeggen, maar het kwam er niet uit. Terwijl ze even daarvoor de oren van zijn hoofd praatte over haar studie. Het klopte niet. Ze was mysterieus, ondoorgrondelijk, maar ze had ook iets liefs en aandoenlijks.

Het geluid van de brommer stierf weg en het werd weer stil in de straat. Rik bleef Jessica aankijken. Hij zag dat ze een rood hoofd kreeg.

'Eh… ik…' Haar mond hapte naar adem. Ze zweeg en keek hem hulpeloos aan. Haar ogen slurpten hem op en Rik had het gevoel dat hij meegezogen werd in haar gestuntel. Ook hij wist nu even niets te zeggen. Dit was wel heel ongemakkelijk.

Jessica draaide zich half om, tilde haar arm op en legde die achter Rik op de leuning van de bank neer. Ze boog voorover. 'Vind jij mij aardig?'

Rik voelde Jessica's hand op zijn schouder glijden. Heel even was hij van zijn stuk gebracht. Was die verlegen Jessica hem nu aan het versieren?

'Ik vind jou namelijk heel aardig,' fluisterde Jessica. Haar blik boorde zich in zijn ogen. Ze leek opeens een stuk zelfverzekerder.

Rik wist niet goed wat hij nu moest doen. Wat vond hij

eigenlijk van Jessica? Ze was aardig, maar aardig genoeg om dit te laten gebeuren? De druk van Jessica's hand op zijn schouder werd sterker. Hij kon geen kant op.

Terwijl ze met haar hand Rik naar zich toe trok, boog Jessica naar voren. Hun gezichten raakten elkaar nu bijna. Rik voelde de warme adem van Jessica over zijn wangen glijden. Ze wachtte heel even en liet de greep op zijn schouder verslappen. Als hij echt niet wilde, kon hij nu ontsnappen. Maar haar dwingende ogen hielden hem vast. Het was alsof zijn hele lichaam blokkeerde. Toch nog onverwacht duwde Jessica haar lippen op zijn mond. Dit kon hij niet lang weerstaan. Toen gaf hij zich gewonnen. Hij sloeg zijn armen om Jessica heen en draaide zich naar haar toe.

Rik voelde dat Jessica gretiger werd. Wilde hij dit? Was hij verliefd op Jessica? Hij kon niet meer nadenken. Zijn hoofd tolde. Rik voelde haar handen overal. Rik ging mee met de flow en genoot van Jessica's bewegingen. Wie had dat gedacht? Die kleine, verlegen grijze muis zoende geweldig en was veranderd in een slagroomsoesje eersteklas. Ook al was hij misschien niet echt verliefd op haar, dit moment was top.

Rik draaide zijn hoofd en Jessica bewoog mee opzij. Hij duwde haar langzaam naar beneden. Ze lag nu in zijn armen als een baby. Rik boog voorover.

Plotseling rukte Jessica zich los uit zijn greep en ging rechtop zitten. 'Nee,' hijgde ze. 'Stop!'

Verbaasd keek Rik haar aan. 'Maar...'

Jessica legde haar vinger op zijn mond. 'Sorry, het kan niet.' Ze keek om zich heen en Rik volgde haar blik. Er liepen een paar mensen op straat, maar geen van allen lette op hen.

'Wat is er?' Rik streelde haar haar, maar Jessica schoof naar achteren. 'Niet doen, zei ik toch!' Ze veegde haar mond af en streek met haar handen over haar bovenbenen.

'Ik begrijp het niet,' stamelde Rik.

'Hoeft ook niet.' Jessica staarde recht voor zich uit. 'Ik ben gewoon niet verliefd op jou.'

'Maar jij zoende mij,' begon Rik, maar verder kwam hij niet. Hij voelde zich gebruikt.

'Sorry, Rik.' Ze stond op. 'Vergeet het.'

Haar resolute afwijzing strookte totaal niet met haar geflirt van daarnet. Wat was er gebeurd? Het leek wel of er twee Jessica's waren.

Rik was te verbouwereerd om nog iets te zeggen. Verslagen zat hij op de bank. Had hij zich dan zo vergist? Nee! Jessica's lippen hadden hem genoeg duidelijk gemaakt dat ze wel degelijk iets voor hem voelde. Maar wat was er dan? Had hij iets verkeerds gedaan? En waarom had ze zo schichtig om zich heen gekeken net? Had ze een vriendje dat hier in de buurt woonde? Of was haar vader hier niet van gediend? Er moest toch iets zijn? Zo slecht zoende hij toch ook weer niet? Hij dacht aan Ice' reactie na zijn zoen en begon nu toch te twijfelen aan zichzelf.

'Het ligt niet aan jou,' zei Jessica die zijn gedachten leek te lezen.

'Daar heb ik wat aan,' bromde Rik. Dat meiden moeilijk en gecompliceerd waren, wist hij, maar dit sloeg alles. 'Misschien is het beter als ik ga,' sprak hij. 'Ja.' Jessica's stem klonk vastberaden. 'Als je dat wilt...'

Rik verbeet zich. Nee, natuurlijk wilde hij dat niet, maar wat moest hij anders? Jessica maakte het hem op deze manier onmogelijk en hij had geen zin om nog langer te smeken.

'Tot vanavond dan.' Rik stond op.

'Ja, tot straks.' Jessica tilde haar rechterhand op.

Rik liep terug naar zijn fiets en stapte op. Even later fietste hij langs haar de straat uit. Ze had haar tas gepakt en keek niet eens op.

Ice en Giovanni waren er al. Rik probeerde zo gewoon mogelijk te doen; tenslotte wist hij officieel niets af van de verdenkingen die ze tegen hem hadden.

Ton stond bij het fornuis en maakte nasi voor iedereen. Zijn sterke armen roerden in een grote pan die zo te zien behoorlijk vol zat. In een kleinere pan borrelde water en Rik zag de satéstokjes drijven.

'Mmm, lekker... nasi,' zei Rik en hij ging bij Ice en Giovanni zitten. 'Ik dacht dat ik vroeg was,' zei hij.

Geen van beiden zei iets.

'Is er iets?' vroeg Rik. De beste verdediging was de aanval, zei zijn vader altijd en deze keer maakte hij dankbaar gebruik van zijn vaders raad.

'Nee, hoezo?' Ice keek hem recht aan.

'Jullie doen zo... zo chagrijnig.'

'O, nou… dat zijn we niet, hoor.'

'Zeker weten?'

'Zeker weten.' Ice bleef recht voor zich uit kijken. Rik probeerde haar blik te vangen, maar ze ontweek hem. 'Zijn jullie er al lang?'

Giovanni liep zonder iets te zeggen de keuken uit.

Rik keek vragend naar Ice, maar die haalde haar schouders op, pakte haar tas en haalde er een vijl uit. Op dat moment kwam Jasmin binnen. 'Hallo allemaal, daar ben ik!' Ze legde haar tas op tafel en liep naar Ton. 'Wat eten we?'

'Nasi,' bromde Ton.

Jasmin ging naast hem staan en legde haar arm om zijn heupen. 'Mmmm, wat lekker!' Haar hand schoof heen en weer en wreef Ton over zijn zij. Rik keek naar Ice, maar die was veel te druk met het vijlen van haar nagels.

Zag dan niemand wat hier gebeurde?

Jasmin liet Ton los en liep naar de tafel. 'Hebben jullie geslapen? Ik niet, hoor! Wat verschrikkelijk dat dat geld uit die fooienpot weg is.'

Ice keek op, maar zei niets.

'Ik heb er nog eens over nagedacht,' ging Jasmin verder.

'Wat een wonder,' mompelde Ice.

'Nee, echt! Ik denk echt dat de dief een bekende is.' Het triomfantelijke gezicht van Jasmin deed Ice glimlachen.

'En weet je waarom?' ging Jasmin verder.

'Nou?' vroeg Ice.

'Niemand anders weet waar de fooienpot staat!'

'Tjonge, wat slim van jou.'

'Goed, hè?' Jasmin dribbelde naar de deur. 'Ik ga het Ted vertellen. Misschien heeft hij er wat aan.'

'Moet je doen,' zei Ice terwijl Jasmin de keuken uit liep. 'Ik denk dat hij daar echt op zit te wachten.'

Ton had al die tijd niets gezegd, maar draaide zich nu om. 'Zullen we het gezellig houden, Ice? Ik ben jouw sarcastische opmerkingen over Jasmin nu wel een beetje zat.'

Ice' ogen schoten vuur, maar ze zei niets.

'Ik meen het, Ice,' ging Ton verder. 'Jasmin mag dan niet zo intelligent zijn als jij, ze is in ieder geval een stuk liever.'

'Voor jou ja,' mompelde Rik.

'Wat zei je?' Ton draaide zich om naar Rik.

'Ik zei dat Jasmin voor jou inderdaad heel lief is,' zei Rik en hij probeerde zo neutraal mogelijk te kijken.

'Wat bedoel je daarmee?'

'Gewoon wat ik zeg.' Rik voelde de ogen van Ice in zijn rug. 'Je moet niet overal wat achter zoeken. Relax man.'

Op dat moment kwamen Ted, Giovanni en Jasmin de keuken in.

'Kunnen we eten?' Ted keek naar Ton die zich snel omdraaide en naar zijn pan met nasi toe liep. 'Het is al aardig aan het vollopen op het terras. Snel eten, jongens en dan aan de slag.'

Terwijl Ton en Jasmin iedereen een bord nasi gaven, kwam Ice naast Rik zitten. 'Thanks,' zei ze zonder dat iemand het kon horen. Ze nam een hap van haar nasi. 'Ton heeft wel gelijk,' fluisterde Rik. 'Je bent uit je hum. Wat is er?' Ice keek naar de bedrijvigheid in de keuken en haalde haar schouders op. 'Gewoon, een domme actie van me,' siste ze. 'Kan ik jou zo even spreken? Alleen?' Rik nam een bord nasi aan van Jasmin. 'Dank je,' zei hij. Jasmin liep terug naar Ton. 'Binnenplaats?' stelde Rik voor. Hij wist dat Ice daar haar sigaret rookte na het eten. Met een beetje geluk was Ton iets later en konden ze even alleen zijn.

Linke soep

'Kan ik jou straks even spreken?' Ted kwam naast Rik zitten met een bord vol nasi.

Rik voelde de zenuwen door zijn keel gieren, maar liet niets merken. Iedereen wilde hem spreken. 'Is goed,' zei hij.

'Kom na het eten maar even naar mijn kantoor.' Rik knikte en schraapte de laatste korrels rijst van zijn bord. Hij keek naar Ice die ook bijna klaar was. 'Ik ga nog even een luchtje scheppen,' zei hij en hij stond op. Nadat hij zijn vuile bord in de afwasmachine had gezet, liep hij de keuken uit in de richting van de binnenplaats.

Er klonk gelach in de keuken en Rik had het angstige vermoeden dat het over hem ging.

Hij duwde de deur van de binnenplaats open en stapte naar buiten. Het zonnetje scheen nog net over de schutting heen. Met gesloten ogen ving hij de warme voorjaarsstralen op.

'Niet te bruin worden, hè?'

De stem van Ice deed Rik opschrikken.

'Niet schrikken, ik ben het maar.' Ice stak een sigaret

op en blies de rook weg. Ze kwam naast Rik staan. 'Ik heb iets stoms gedaan,' zei ze en ze keek achterom of de deur wel goed dichtzat.

Rik zweeg.

'Gisteravond heb ik met Ted gesproken,' ging Ice verder. Ze nam een trek van haar sigaret. 'Over ons.'

Rik bleef haar zwijgend aankijken. Hij mocht zichzelf niet verraden en kon maar beter zo min mogelijk zeggen.

'Ik bedoel... ik heb verteld dat jij mij zoende.'

'Waarom?' vroeg Rik en zijn stem klonk geïrriteerd. Dit hele weekend was een aaneenschakeling van ellende. De afwijzing van Ice, de ruzie met Jasmin, het rare gedrag van Jessica, de discussie met Ton net, Ted die hem wilde spreken en nu dit weer.

Ice wiebelde van haar ene op haar andere been. 'Je deed raar. Het hele weekend al. Je gluurde steeds naar Jasmin, mompelde onverstaanbare dingen die Jessica scheen te begrijpen. En dan die zoen.'

'Wat was daarmee?'

Ice keek hem fel aan. 'Die was nep. Echt Rik, mij hou je niet voor de gek. Het was puur en alleen bedoeld om mij te overtuigen van...'

'Nou? Van wat?' riep Rik. 'Dat ik geen homo ben? Denk je dat?'

'Ja, eigenlijk wel.' Ice bleef uitermate kalm en dat irriteerde Rik nog het meest.

'Iedereen weet toch dat je op jongens valt. Zelfs Jasmin zei dat je niet te versieren was...'

'O, dus die weet er ook van?' Rik klonk schor. 'Lekker gelachen?'

'Ik heb niet om je gelachen,' verbeterde Ice hem en haar ogen verraadden dat ze de waarheid sprak. 'We hebben het er alleen over gehad dat je vreemd doet met meisjes. Giovanni vond ook...'

'Toe maar, Giovanni zat ook in het gespreksgroepje. Nog meer mensen soms? Bartje?'

Ice schudde haar hoofd. 'Nee. Ik weet dat het stom klinkt, maar toen Ted vertelde van de lege fooienpot, dacht ik dat jij daar misschien meer van wist. Ik vond dat Ted het moest weten. Ik heb hem gisteravond alles verteld. Waarschijnlijk wil hij je daarom spreken. Sorry. Gisteravond leek het het juiste om te doen, maar ik had er op weg naar huis al spijt van.'

'Je wordt bedankt,' bromde Rik. Ice had hem verraden en ze had hem verkeerd beoordeeld.

Ice keek hem zenuwachtig aan. 'Ik voel me de hele dag al zo rot. Ik ben geen verrader.' Ze wachtte even. 'Het kwam door het moment, denk ik. We waren allemaal doodmoe.'

'Ja.' Rik wist niets anders te zeggen. Diep vanbinnen genoot hij van Ice' bekentenis en vond hij dat ze nog veel dieper door het stof kon. Dat hij alles gisteravond al had gehoord, deed daar niets aan af.

'Er is nog iets.' Ice pakte zijn arm.

'Wat?'

'Heb jij gisteren die champagne die je geserveerd had weer afgeslagen?'

'Hoezo?' Rik hield zijn gezicht in de plooi. Hij zou haar eens even lekker laten zweten.

Ice zuchtte. 'Gewoon wat ik zeg. Heb jij die champagne van de bon afgehaald?'

Rik dacht zogenaamd diep na. 'Niet dat ik weet,' zei hij toen.

'Dat is niet genoeg,' zei Ice die ongeduldig werd. 'Ik moet het zeker weten. Heb jij ja of nee die champagne weer afgeslagen in de kassa?'

Rik begon bijna medelijden met haar te krijgen. Ze zat er echt mee. Eén ding wist hij nu zeker. Ice had niets te maken met het verdwenen geld. Als zij het gedaan had, had ze zich nu niet zo druk gemaakt om zijn onschuld.

'Ik heb nog nooit iets afgeslagen,' zei Rik. 'Geen champagne, geen tong... niets.'

Heel even flikkerden de ogen van Ice. 'Je weet het,' siste ze.

Rik knikte. 'Ja, ik hoorde jullie gisteravond toevallig nog met elkaar praten toen ik mijn fiets pakte.'

Ice trilde. 'Shit,' zei ze. 'Dus je hebt me nu al die tijd voor niets laten zweten.'

'Niet voor niets,' zei Rik. 'Ik weet nu dat jij er niets mee te maken hebt.'

'Dus jij ook niet?'

'Nee, ik ook niet.'

Heel even keken ze elkaar aan. Ice drukte haar sigaret uit in de grote asbak die naast hen stond en blies de laatste rook weg. 'Ik wist het,' zei ze zacht. Opgelucht keek ze Rik aan. 'Ik moet naar Ted. Ik moet hem vertellen dat...'

'Dat hoeft niet,' viel Rik haar in de rede. 'Dat vertel ik zo zelf wel. Ik moet toch naar hem toe.'

'Het spijt me,' zei Ice. 'Ik ook altijd met mijn grote mond.'

'Excuses aanvaard, op één ding na.'

'En dat is?'

'Ik wil dat je van me aanneemt dat die zoen echt was.'

Ice keek hem fronsend aan. 'Echt? Maar jij...'

'Sst, niet zeggen.' Rik pakte haar bovenarmen beet en trok haar naar zich toe. 'Ik zal het nog een keer bewijzen.' Voordat Ice kon tegenstribbelen had hij haar tegen zich aan gedrukt en zoende hij haar opnieuw. Dit keer voelde hij haar niet verstijven, maar deed ze mee. Heel even flitste de gebeurtenis met Jessica van vanmiddag door zijn hoofd. De smaak van rook vermengde zich met de smaak van Ice.

'Rik moet komen!'

Verschrikt lieten Rik en Ice elkaar los en staarden in het verbaasde gezicht van Bartje.

'Rik moet komen werken. Ice ook.' Bartjes gezicht stond vragend. 'Gaan jullie trouwen?'

Ice liep naar Bartje toe. 'Nee hoor. Er zat wat in Riks oog en ik keek even of ik het er misschien uit kon halen.'

'Zat er ook wat in Riks mond?' vroeg Bartje. 'Je hapte. Mag Bartje ook happen?'

135

Rik schoot in de lach. 'Nee, Bartje. Je mag niet happen. Ice heeft alles al gecontroleerd. Het is goed zo. Ga maar, wij komen eraan.'

Bartje trok de deur achter zich dicht en Rik en Ice keken elkaar verlegen aan.

'Nu weet straks de hele zaak het,' zei Ice.

'Welnee, Bartje heeft geen idee.'

'Denk je dat echt?'

'En anders... wat dan nog?' zei Rik en hij sloeg zijn arm om Ice heen.

'Je moet nog naar Ted.'

'Ja, maar nu ik jou heb gesproken, voel ik me een stuk rustiger. Jij weet dat ik niet schuldig ben, toch?'

Ice knikte. 'Voor negenennegentig procent, ja!'

Rik fronste zijn wenkbrauwen. 'En die ene procent dan?'

'Dat zal altijd een mysterie blijven,' zei Ice. 'En dat moet ook. Tenslotte weet jij ook niet alles van mij.'

'Dat is waar.'

Ice gaf hem een zoen. 'Misschien heb je net wel iemand anders gezoend en ben je een vreselijke player.' Ze lachte. Rik verstijfde en hij wist dat ze het merkte.

'Wat is er?' vroeg Ice.

Rik drukte haar tegen zich aan en ontweek haar blik. 'Niets, ik kreeg een koude rilling.'

'Kom, we gaan aan het werk,' zei Ice en ze ontworstelde zich aan zijn greep. 'We zeggen nog maar even niets, vind je ook niet?'

Ze gaf Rik een snelle kus op zijn wang en ging naar

binnen. Hij kon de dichtvallende deur nog net vastgrijpen en liep achter haar aan naar binnen.

'En?' Ice kwam met twee vuile borden aangelopen en hield even stil bij de deur van Teds kantoor.

'Niets aan de hand,' zei Rik en hij probeerde zo rustig mogelijk over te komen. Het gesprek met Ted was stevig geweest, maar hij had zich staande kunnen houden. Meer dan de waarheid had hij niet kunnen zeggen. Hij had geen champagne afgeslagen, ook geen tong en hij had de fooienpot niet leeggeroofd. Meer was er niet te vertellen. Hij had alles zo rustig mogelijk uitgelegd en toen kon hij weer gaan.

'Maar het was niet leuk?' vroeg Ice.

'Nee, zoiets is nooit leuk.'

Achter hem ging de deur open en Ted kwam naar buiten. Ice liep direct door naar de keuken. Giovanni zei niets. Hij poetste voor de derde keer de bar. Rik wist dat hij alles had gehoord.

Ted legde zijn hand op de schouder van Rik. 'Zodra je iets afslaat, meld je het, goed?'

Rik knikte en knoopte de sloof die hij in zijn handen had om. 'Als iedereen dat doet, vind ik het prima. Ik wil niet het gevoel hebben dat ik de enige ben.'

'Goed idee.' Ted liep naar Ice die net de keuken uit kwam en vroeg haar hetzelfde. 'Iedereen die ook maar iets terugslaat op de kassa, meldt dat aan mij.'

Zowel Giovanni als Ice knikten.

'Het blijft een nare situatie, maar we kunnen op dit

moment niets anders doen dan onze oren en ogen openhouden,' zei Ted. Hij liep terug naar zijn kantoor. 'Werkse!'

Zonder er nog met een woord over te praten, ging iedereen aan het werk. Er waren best al wat gasten in het restaurant en op het terras waren ook nog twee tafels bezet.

'Ik doe het terras nog wel even,' zei Rik.

'De dames aan de blauwe tafel hebben al aardig wat op,' zei Tiny die net kwam aanlopen. 'Kijk je een beetje uit?'

Rik knikte. Hij was niet bang voor een stelletje vrouwen.

'Ik ga,' zei Tiny. 'Ik was hier vanochtend om acht uur al. Ik ben kapot. Werkse, jongens!'

Rik liep het terras op. Een van de vrouwen aan de blauwe tafel wuifde naar hem. 'Ober!'

Ze was in het gezelschap van drie andere vrouwen en zo te zien hadden ze een gezellige middag achter de rug.

'Dames, wat mag het zijn?' vroeg Rik.

'Nou...' De vrouw die had gewuifd trok haar zonnebril naar beneden en bekeek hem van top tot teen. 'Nieuw hier?'

'Een paar weken, mevrouw.'

'Zeg maar Blanche, hoor! Zo oud ben ik toch nog niet?' Haar vriendinnen lachten.

Rik pakte zijn blocnote. 'U wilde bestellen?'

'U?' De vrouw zette haar zonnebril op haar lange

blonde haren. 'Ik zeg net dat ik Blanche heet. Dan ben ik toch geen u? Hoe oud ben jij eigenlijk?'

Rik had geen zin in deze kermis. Het ging dat mens niets aan hoe oud hij was. Hoe loste hij dit nou eens handig op?

'Laat die jongen toch, Blanche,' zei een van de andere vrouwen.

'Ja, we weten dat je van jong houdt, maar deze is net uit de luiers,' giechelde een ander.

Rik begon zijn geduld te verliezen. Hij was hier niet om uitgelachen te worden. Wat een belachelijke vertoning van die wijven, zeg!

'Zal ik een parasol voor u halen, dames? Ik heb ergens gelezen dat zonlicht niet zo best is voor de wat rijpere huid.'

Het was even stil.

'Iets bestellen?' vroeg Rik.

'Drie droge witte wijn en een rosé,' zei de vrouw die Blanche heette nors.

'Komt eraan, mevrouw.' Rik draaide zich om en liep naar binnen. 'Drie droge witte wijn en een rosé,' herhaalde hij de bestelling met een hoog stemmetje.

Giovanni grijnsde. 'Lekker stel, hè?'

'Ken je ze?'

Giovanni knikte. 'Ja, die ene die bestelde is de vrouw van Willem Lodewijks, die uit de krant.'

Rik slikte en voelde het bloed uit zijn hoofd wegtrekken. Willem Lodewijks? Als hij de kranten mocht geloven had die man een boel op zijn kerfstok. Witwaspraktijken, vastgoedzwendel en liquidaties. 'Zit die vent niet vast nu?' vroeg hij.

'Ja, al een paar maanden. Zijn vrouw schijnt daar niet zoveel last van te hebben,' lachte Giovanni. 'Ze vermaakt zich uitstekend met haar vriendinnen. Af en toe komt ze hier wat drinken als ze gevaren heeft.' Hij wachtte even, terwijl hij de witte wijn inschonk. 'Ze schijnt op jonge jongens te vallen. Iets voor jou?'

Rik fronste zijn wenkbrauwen. 'Ze was mij al aan het versieren,' zei hij.

'Gaaf man!' Giovanni zette de laatste witte wijn op het dienblad. 'Een avondje met haar mee en je bent binnen, geloof mij.'

Rik schudde zijn hoofd. 'Niets voor mij.'

'O ja, stom! Jij valt niet op meiden.'

'Niet op bejaarde meiden,' zei Rik die geen moeite meer nam om zich te verdedigen. 'Vergeet je de rosé niet?'

Terwijl Rik de drankjes aansloeg op de kassa, schonk Giovanni nog een rosé in.

'Als ze mij bespringen, kom je me dan redden?' vroeg Rik die er niet gerust op was.

'Doe ik!' zei Giovanni met een grijns. 'Geef me een teken en ik kom eraan.'

Rik droeg het blad het terras op. 'Voor wie was de rosé?'

Een van de dames stak haar hand op. Rik zette de rosé voor haar op tafel neer. De andere drie glazen verdeelde hij over de andere dames.

'Jij bent best een lekker ding, wist je dat?' De vrouw die Blanche heette gaf niet snel op, bedacht Rik. Hij probeerde zo neutraal mogelijk te kijken. 'Mogen we wel je naam weten?' ging de vrouw verder.

'Rik.'

'Mooie naam.'

'Dank u.'

'Je...'

'Dank je,' verbeterde Rik.

Blanche pakte zijn arm vast. 'Mijn vriendinnen en ik vroegen ons af of je vanavond wat te doen had?'

'Ja, werken,' antwoordde Rik.

'Toch niet de hele nacht? Hoe laat gaat deze tent hier dicht?'

Rik kreeg het benauwd. Hij wilde de vrouwen niet beledigen of iets verkeerds zeggen. 'Als de laatste gasten weg zijn,' zei hij beleefd. 'En dan moeten we nog opruimen.'

'Ach, wat een harde werkers zijn jullie.' Blanche liet haar hand over zijn arm naar beneden glijden en verschoof deze naar achteren. Rik voelde de hand op zijn heup rusten. Vanuit zijn ooghoeken zag hij Ice naar de gele tafel lopen, waar de gasten net waren vertrokken. Ze droeg een kleine emmer water om de tafel schoon te maken. Het terras zou sluiten als de laatste gasten weg waren. Aan de dames te merken, zou dat nog wel even duren.

Rik zag dat Ice het zag. Wat hulpeloos keek hij haar aan.

'Heb je zin om met ons mee uit te gaan vannacht?'
Blanche ging onverminderd door met haar versierpogingen.

'Het is zondag, mevrouw,' zei Rik.

'Blanche, schat... ik heet Blanche.' De hand verschoof naar achteren en rustte nu op zijn linkerbil. 'Mmm, weet je zeker dat je niet mee wilt? We gaan naar Party Hot, ken je die tent? Echt iets voor jou.'

Rik deed een stap opzij, maar de hand volgde. 'Ik moet morgen weer naar school, dus het lijkt me niet zo'n goed idee om...'

'Naar school? Ach gut, wat schattig.' Blanche glimlachte. 'Spijbel je toch een keertje?'

'Ik schrijf wel een briefje,' giechelde de vrouw naast haar.

Rik was het zat. 'Het spijt me, dames. Ik kan niet.'

'Kan niet... of wil niet?' Blanche streek met haar hand over zijn heup. 'Kan niet snap ik misschien nog... maar wil niet accepteer ik niet.'

Rik voelde zijn hart in zijn keel kloppen. Hoe kon hij dit netjes oplossen?

Geheim recept

Op dat moment vloog er een plens water over de vrouw heen.

'Aaaahh!' Blanche schoof met stoel en al naar achteren, terwijl ook Rik opzij sprong. In een oogopslag zag Rik wat er aan de hand was. Ice was met de emmer water en dweil achter de vrouw langs gelopen. Met een onhandige snoekduik had ze de emmer water over haar heen gekieperd. De dweil was op de grond terechtgekomen.

'O, sorry mevrouw!' riep Ice en ze stond op. 'Een ongelukje. Het spijt me enorm.'

'Trut!' riep Blanche. Met een woedende blik bekeek ze haar doorweekte kleren. 'Ik ben helemaal nat!'

'Het spijt me echt, mevrouw.' Ice pakte de emmer op. 'Ik haal een doekje.'

'Een doekje?' Blanche brieste van woede. 'Dit droog je niet af met een doekje, stom wicht. Ik wil de eigenaar spreken... nu meteen!'

Ice rende naar binnen, terwijl Rik de dweil uitwrong en de plens water van tafel veegde. De drie andere vrouwen hadden hun stoel naar achteren geschoven en keken geschrokken naar hun vriendin die druppend en bibberend stond te briesen. 'Wat een ongelooflijke trut, zeg!'

Er klonk een ingehouden lach. 'Wel sexy,' merkte een van de vrouwen op. 'Je ziet alles, Blanche.'

Blanche bekeek zichzelf en schoot in de lach. 'Je hebt gelijk. We maken er een Wet Party van.' Ze pakte een glas witte wijn en nam een slok. 'Wel zo leuk!'

Blanche draaide zich om, greep Rik beet en dwong hem zo om haar te bekijken. 'Ben ik nu sexy genoeg voor je?'

Rik kon niet anders dan naar haar doorweekte lichaam kijken. Haar vormen schenen dwars door haar natte zomerjurk heen. Wat een afgang.

'Nou?' Blanche schudde hem door elkaar. 'Geef antwoord.'

'Zo is het genoeg, dames.' De stem van Ted klonk streng. 'Je kunt naar binnen, Rik.'

Rik trok zich los en liep langs Ted het terras af. Ice en Giovanni stonden hem op te wachten. Gezamenlijk keken ze toe hoe Ted de dames te woord stond. Zijn rustige houding had effect. Na een paar minuten stond er een taxi voor de deur die de dames op Teds kosten naar huis zou brengen. De rekening hoefden ze niet te betalen en even later waren ze vertrokken.

'Volgende keer wat resoluter optreden, Rik,' zei Ted toen hij terugkwam. 'Dit soort dames moet je strak houden.'

Rik knikte en keek aangeslagen naar de grond.

'En dat ongelukje van jou,' ging Ted verder en hij wendde zich tot Ice. 'Dat was wel heel toevallig. Je bent anders nooit zo onhandig.'

Ice glimlachte wat. 'Nee, stom van me. Ik struikelde en...'

'Ja, ja, het is wel goed. Nogmaals: we toleren geen ongewenste intimiteiten hier en als jullie merken dat klanten te veel hebben gedronken, dan roep je mij, begrepen?'

Er werd drie keer heftig geknikt en Ted liep terug naar zijn kantoor.

'Gave actie,' zei Giovanni toen zijn vader verdwenen was. 'Ik heb genoten, jongens.'

Ice zette de emmer achter de bar. 'Je had ook kunnen helpen.'

'Hoezo? Rik vond het helemaal niet erg, hoor. Zo'n lekker wijf dat aan je kont zit te friemelen.'

'Doe effe normaal, ja!' Rik klonk fel. 'Zo leuk vond ik dat niet.' Hij keek naar Ice. 'Ik ken veel leukere meiden.'

'En jongens,' grijnsde Giovanni die niets in de gaten had. Hij gaf Rik een knipoog.

Rik glimlachte en kwam dichter bij Giovanni staan. 'Gio... al was je de laatste jongen op aarde...' Zijn stem klonk zwoel. 'Dan nog niet!' Hij prikte met zijn wijsvinger in Giovanni's borst. 'Jij bent gewoon mijn type niet.'

Giovanni wist niet zo goed hoe hij zich moest houden. Hij glimlachte wat ongemakkelijk en keek hulpeloos naar Ice.

'Moet je mij niet aankijken,' zei Ice. 'Jij begon erover.'

Rik deed een stap naar achteren en zijn stem klonk weer gewoon. 'Denk wat je denken wilt, maar val mij er niet meer mee lastig, begrepen?' Hij stopte zijn handen in zijn broekzak en wilde zich omdraaien, maar opeens realiseerde hij zich dat er iets mis was. Geschrokken duwde hij zijn handen dieper in zijn broekzakken. 'Krijg nou...'

'Wat is er?' Ice keek bezorgd.

'Mijn tientje!' Rik voelde nogmaals in al zijn zakken. 'Ik had een tientje in mijn broekzak en dat is nu weg.' Hij haalde wat kleingeld tevoorschijn.

'Weet je zeker dat je een tientje had?'

'Ja, tuurlijk. Ik...' Rik stokte. Hij kon nu moeilijk gaan vertellen dat hij met Jessica een ijsje had gegeten vanmiddag. Alleen de gedachte aan haar zoen was al genoeg om hem een rood hoofd te bezorgen. Ice mocht dit nooit weten! 'Ik weet het zeker.'

'Ben je het verloren?' vroeg Giovanni. Hij leek opgelucht dat de aandacht was afgeleid.

Rik keek om zich heen. 'Misschien.'

'Dat mens!' riep Ice. 'Misschien heeft madame Blanche je gerold?'

'Ze zat aan je kont,' grijnsde Giovanni.

'Ze is getrouwd met een miljonair,' zei Rik. 'Dan pik je geen tientjes.'

'Nee, maar het kan toch dat het toen uit zijn zak is gevallen?'

'Ik ga wel even kijken op het terras,' zei Rik. 'Er moet toch opgeruimd worden. We moeten weer aan het werk.'

Hij bukte zich en pakte de emmer. Het doekje lag nog in de emmer. Rik vulde de emmer met wat zeep en warm water en liep naar het terras. Ice en Giovanni waren al weer druk bezig met de gasten.

Op het terras was geen spoor van het tientje te bekennen. Rik baalde. Het was zijn laatste geld van deze maand. Zijn salaris zou pas volgende week gestort worden, had Ted gezegd. Het was niet echt zijn geluksweekend. Alhoewel... hij was twee keer gekust, was uitgebreid versierd door een miljonairsvrouw, en hij had Ice overtuigd van zijn goede bedoelingen.

Rik zag het gezicht van Ice voor zich en glimlachte. Ice! Ze was het liefste, leukste en slimste meisje dat hij kende. Dat met Jessica was een vergissing. Hij had zich laten overrompelen. Het was niet meer dan een zwak moment geweest en hij zou het gewoon vergeten.

'Is Jessica er al?' Ton kwam met een verhit gezicht de gang in lopen. 'Het is al halfnegen.'

Rik, die net met een lading vuile borden kwam aanlopen, schudde zijn hoofd. 'Niet gezien.' Hij duwde de keukendeur open en zette de vuile vaat in het rek bij de spoelmachine. Het rek zat stampvol en zo te zien was er nog niet gespoeld.

Ton denderde terug de keuken in en schoof weer achter zijn fornuis. 'Iemand moet bijspringen. De vaat stapelt zich op.'

'Kun je Jessica niet bellen?' vroeg Rik die met een schuin oog naar de berg afwas keek.

'Loop even naar Ted en laat hem bellen.'

'Komt in orde.' Rik was allang blij dat hij niet achter de spoelmachine werd gezet door Ton.

'Jasmin?' Ton liep naar Jasmin toe die samen met Bartje de saladebakjes bereidde.

'Ja?' Jasmin trippelde naar Ton toe.

'Wil jij vast wat vaat wegwerken?'

'Ik? Maar dat is toch Jessica's taak?'

'Zie jij Jessica ergens?'

Jasmin keek om zich heen. 'Nee, ik...'

'Nou dan. Hupsakee, aan de afwas!'

Met een boos gezicht liep Jasmin naar de spoelmachine. Rik maakte dat hij wegkwam.

Ted was in zijn kantoor druk bezig met de boekhouding.

'Ted?' Rik stond in de deuropening en klopte op de deur.

'Wat is er?'

'Ton vraagt of je Jessica wilt bellen. Ze is er nog niet.'

'Niet?' Ted keek verbaasd.

'Nee, misschien is er wat gebeurd?'

Ted rommelde in zijn la en haalde er een klein boekje uit tevoorschijn. 'Hier!' Hij wierp het naar Rik toe. 'Bel jij maar even, ik ben nu even bezig.'

Rik ving het boekje op.

'Gebruik de telefoon bij de bar maar,' zei Ted.

Rik knikte en verliet het kantoor.

'Problemen?' Ice kwam net aangelopen met een dienblad lege glazen die ze op de bar zette.

'Jessica is er nog niet,' legde Rik uit. 'Ik moet haar bellen.'

Hij bladerde in het boekje. Bij de J stond ze niet. 'Hoe heet Jessica van haar achternaam?'

Zowel Giovanni als Ice schudden hun hoofd. Rik wilde Ted niet nog eens storen en hij liep naar de keuken.

'Hoe heet Jessica van haar achternaam?'

Maar ook Ton en Jasmin wisten het niet. Rik zuchtte. Dat schoot lekker op. Hij zou Tiny moeten bellen. Zij kende Jessica's moeder. Hij bladerde in het boekje.

'Donkers,' riep Bartje. 'Jessica Donkers, mooie naam!'

'Heet ze Donkers?' Rik keek op.

'Ja, Jessica Donkers is lief.'

'Oké, Donkers dus.' Rik sloeg het boekje open bij de D en keek opgelucht. 'Hebbes, thanks.'

'Jessica is lief,' riep Bartje nog. 'Jessica geeft Bartje kusjes.' Maar Rik was al weg.

Even later stond hij achter de bar en toetste het nummer in.

'Donkers.' De mannenstem klonk niet bepaald vriendelijk.

'Goedenavond, u spreekt met Rik de Boer van restaurant Lekker. Is Jessica thuis?'

'Nee, die werkt... bij jullie, toch?' De stem klonk niet meer zo zeker. 'Ze is op tijd van huis vertrokken. Mijn vrouw is nog met haar meegefietst tot aan de Hoofdstraat.'

'Nee, meneer, ze is hier nog niet verschenen, maar had er wel al moeten zijn. We maken ons ongerust.'

'Ik nu ook. Bedankt voor het bellen.' De verbinding werd verbroken en Rik stond wat vertwijfeld te kijken.

'Problemen?' Giovanni had mee staan luisteren.

'Ik geloof het wel.' Rik zette de telefoon terug in de houder. 'Haar vader wist niet beter of Jessica was hier aan het werk.'

Ice kwam erbij staan en Rik legde in het kort uit wat er aan de hand was.

'Tafel vier wil bestellen,' zei Ice. 'Het is beredruk. We kunnen nu toch niets doen.'

Rik knikte. 'Ik loop even naar Ton.'

Jasmin stond met opgestroopte mouwen achter de spoelmachine. Ton stond achter haar en hield zijn armen om haar heen. 'Het is maar voor even,' zei hij. 'Jessica zal zo wel komen.' Hij gaf haar een kus op haar haar.

Rik slikte. 'Eh... Jessica is wel op tijd van huis vertrokken, zegt haar vader. Hij weet ook niet waar ze is.'

Ton liet Jasmin los. 'Dat klinkt niet zo mooi. Weet niemand waar ze is?'

Terwijl Jasmin haar shirt rechttrok, legde Rik uit wat Jessica's vader net had verteld.

'Ik maak me nu toch wel ongerust,' mompelde Ton.

Bartje sloeg zijn handen voor zijn mond. 'Ooo, Jessica komt niet! Hoe moet dat nu met Bartje?'

'Het komt goed, Bartje,' sprak Rik rustig. 'Ze zal zo wel komen. Ga maar verder met de sla, goed?'

'Jessica is lief.' Bartje straalde. 'Jessica verkoopt kusjes.'

Rik fronste zijn wenkbrauwen. 'Hoe bedoel je?'

'Jessica is lief,' herhaalde Bartje. 'Jessica is lief voor Bartje.'

Ton kwam bij Bartje staan. Ook hij leek geïnteresseerd in wat Bartje net zei. 'Verkoopt ze kusjes?'

Bartje knikte en lachte. 'Ja, ja... heel veel kusjes. Dat is fijn. Kusjes zijn lekker.'

Ook Jasmin kwam erbij staan. 'Zoen jij met Jessica?' Ze trok een vies gezicht.

Bartje klapte in zijn handen. 'Ja, ja... zoenen. Mmmm!' Hij sloot zijn ogen en er kwam een glimlach op zijn gezicht. 'Op mijn wang. Kusjes op mijn wang.'

Plotseling verkrampte zijn gezicht. 'Maar Jessica is nu weg. Dat mag niet. Jessica moet terugkomen. Ik wil kusjes. Ik heb geld.'

Ton pakte Bartje beet. 'Wat bedoel je, Bartje?'

'Kusjes.' Bartje werd nerveus. Zijn lichaam bewoog heftig heen en weer en zijn ogen draaiden constant in het rond.

'Geef jij geld aan Jessica?' vroeg Ton.

'Bartje zegt niets meer. Bartje moet zijn mond houden. Bartje heeft het beloofd.'

Rik en Jasmin keken gespannen toe. Bartje wist veel meer dan hij losliet.

Ton rammelde Bartje heen en weer. 'Vertel op!'

'Niet doen, dat doet zeer.' Bartje raakte duidelijk in paniek.

151

Rik duwde Ton opzij. 'Laat mij maar even.' Hij sloeg zijn arm om Bartje heen en wuifde met zijn andere hand naar Ton en Jasmin dat ze naar achteren moesten gaan. Zijn stem klonk rustig. 'Bartje?' Hij liep met Bartje naar de hoek van de kamer. 'Je wilt Jessica toch helpen? Je vindt Jessica toch lief?'

Bartje knikte.

Rik wachtte even. 'Ik ben jouw vriend, toch?'

Bartje bleef zacht knikken. 'Rik is mijn vriend.'

'Inderdaad,' zei Rik. 'Ik ben je vriend. En vrienden mag je geheimen vertellen.'

'O ja?' Bartje keek op. 'Mag dat?'

'Ja, Bartje. Geheimen zijn alleen voor vrienden. Dat weet je toch?'

Bartje leek in de war. 'Echt?'

'Fluister het geheim in mijn oor,' fluisterde Rik. 'Dat mag. Ik ben je vriend.'

Bartje aarzelde, maar gaf zich toen gewonnen. 'Jessica verkoopt kusjes,' zei hij.

Rik voelde zijn oor nat worden van Bartjes kwijl, maar hij mocht nu niet bewegen. Hij moest weten wat Bartje wist over Jessica.

'Jessica is lief.' Bartje wachtte even. 'Bartje krijgt extra lekkere kusjes van Jessica. Die zijn wel duurder, maar ook heel lekker.'

Rik probeerde niet te reageren. Zolang hij niet bewoog en niets zei, praatte Bartje door. Vanuit zijn ooghoeken zag hij Ice de keuken in komen, maar Ton en Jasmin gebaarden direct dat ze stil moest blijven staan.

'Speciaal voor Bartje,' ging Bartje verder. 'Superkusjes zijn alleen voor Bartje.'

Rik begreep dat hij zo niet verder kwam. Hij moest een vraag stellen. 'Waarom wil Jessica geld hebben voor de kusjes?'

Bartje leek even uit zijn concentratie, maar gaf wel antwoord. 'Dat moet. Jessica moet geld hebben voor...' Hij zweeg.

'Voor wie?' Rik begon een angstig vermoeden te krijgen.

'Jessica is bang.'

'Voor wie?'

'Dat... dat weet Bartje niet. Maar hij is niet lief. Jessica moet hem gratis kusjes geven. Dat is niet eerlijk. Bartje geeft wel geld.' Hij grijnsde. 'Maar Bartje krijgt superkusjes van Jessica. Hij niet.' Hij keek Rik angstig aan. 'Jessica is lief, toch?'

'Ja, Bartje... Jessica is lief. Weet je waar ze nu is?'

Bartje beet op zijn lip.

'Bartje?' Rik klonk strenger. 'Als je het weet, moet je het zeggen. Je wilt Jessica toch helpen?'

Bartje knikte en Rik zag een traan over zijn wang rollen. Hij moest nu doorzetten. 'Zeg het, Bartje. Je moet Jessica helpen. Ze is bang. Dat wil je toch niet?'

Bartje brak en begon te snikken. 'Jessica heeft een verstopplek.' Zijn grote lichaam werkte niet meer mee. 'Als Jessica bang is, mag ze daarnaartoe.'

Rik ondersteunde Bartje. 'Zeg het, Bartje,' zei hij. 'Waar is die verstopplek?'

'Bij mij!' gilde Bartje. 'Bij mij. Bartje moet haar helpen. Jessica is bang.'

Terwijl hij Bartje stevig vasthield om hem te troosten, keek Rik vragend achterom. Hij begreep het antwoord niet.

'Thuis?' siste Ice die de hulpeloze blik van Rik begreep.

Rik concentreerde zich weer op Bartje. 'Verstopt Jessica zich in jouw kamer?'

Bartje knikte. 'Soms. Bij Bartje is het veilig. Jessica heeft de sleutel. Bartje wil Jessica helpen.'

'Heel goed van je, Bartje. Dankjewel.' Rik begeleidde Bartje naar een stoel, waar de jongen verslagen ging zitten. 'Bartje wil helpen, Bartje wil naar Jessica toe.'

'Wij gaan Jessica helpen, goed?' Rik aaide Bartje over zijn hoofd. 'Het komt allemaal goed. Je hebt het goed gedaan. Jij blijft hier zitten.'

Rik liep naar Ton. 'Foute boel.'

Ton knikte. 'Ik heb het begrepen. Ik ga naar Ted. Jasmin?' Hij draaide het gas van het fornuis zachter. 'Jij let op Bartje en jullie...' Hij wees naar Rik en Ice. 'Jullie houden de gasten bezig. Het eten loopt even vertraging op.' Met grote stappen liep hij de keuken uit, met Ice in zijn kielzog.

'Die griet spoort echt niet,' mompelde Jasmin en ze keek met een argwanende blik naar Bartje die met zijn handen in elkaar gevouwen schokkerig heen en weer bewoog. 'Je zoent toch niet met...' Ze stokte. 'Nou ja, je snapt wat ik bedoel.'

Riks ogen schoten vuur. 'Jij doet het met Ton, alsof dat zo gezond is.'

'Waar slaat dat nou weer op?' riep Jasmin.

'Precies wat ik zeg: jij ligt te rotzooien met Ton, een getrouwde vent. Jek!' Riks gezicht sprak boekdelen.

'Dat is helemaal niet waar!' Jasmin pakte Rik zijn arm. 'Vuile leugenaar. Ton is...' Ze stokte.

'Nou?' Rik keek triomfantelijk. Hij was blij dat hij het gezegd had. Jasmin kon toch moeilijk blijven ontkennen. Hij had bewijzen te over.

'Ik rommel niet met Ton,' zei Jasmin beheerst. 'En als je dat niet gelooft, is dat jouw probleem.' Ze wilde zich omdraaien, maar Rik hield haar tegen.

'Dus je hebt er geen bezwaar tegen als ik het vertel aan de rest van het personeel?'

Jasmins ogen schoten vuur, maar ze haalde haar schouders op. 'Je doet maar. Niemand zal je geloven.' Ze stak haar vinger op. 'Ik zou me maar gedeisd houden. Je ligt toch al niet zo lekker in de markt hier.'

Rik was even van zijn stuk gebracht, maar herwon zich. 'We zullen zien.' Hij beende de keuken uit. Op dit moment stond hij niet voor zichzelf in.

Grand dessert

Terwijl Ice en Rik de gasten in de eetzaal van een drankje voorzagen en Giovanni zich uit de naad werkte om alle consumpties klaar te zetten, bleef Jasmin bij Bartje. Rik had de neiging om te gaan kijken, maar het was te druk in het restaurant. Hopelijk hield Jasmin zich in. Bartje was helemaal over zijn toeren en kon niet veel meer hebben. Tussen neus en lippen door hadden Ice en hij Giovanni ingelicht over de situatie. Ook hij keek gespannen naar de deur van zijn vaders kantoor.

Na een paar minuten, kwamen Ton en Ted samen het kantoor uit.

'En?' vroeg Rik bezorgd toen hij met een blad lege glazen de eetzaal uit kwam lopen. Ook Ice kwam er direct aan.

'We zijn ermee bezig,' bromde Ton. 'Jessica's ouders en de directrice van Bartjes wooneenheid zijn ingelicht. Ze overleggen nu met de politie. Er schijnt meer aan de hand te zijn. Wij kunnen nu even niets meer doen. Ted wordt gebeld zodra er meer bekend is.' Hij zuchtte. 'Ik ga naar de keuken. We lopen hopeloos achter zie ik.' Hij wees naar de gasten aan tafel zes die aan het zwaaien waren. 'Aan het werk, jongens. De eetzaal in. Tafel zes wil bestellen.'

Het had geen zin om tegen te stribbelen. Rik en Ice begaven zich naar de eetzaal. Rik liep direct door naar tafel zes. Hij moest zich nu concentreren, anders ging het helemaal mis. Vanuit zijn ooghoeken zag hij Ice al weer druk heen en weer lopen en ook Giovanni hielp op een gegeven moment mee met het uitserveren van alle gerechten die tegelijk de keuken uit kwamen. Zonder een woord met elkaar te wisselen, werkten ze zij aan zij om het overvolle restaurant draaiende te houden. Het was jammer dat Tiny naar huis was gegaan; zij had net het verschil gemaakt vanavond.

'Twee bier en een cola,' riep Rik naar Giovanni die net terug kwam lopen uit de eetzaal.

'Pak het zelf even,' was het antwoord. 'Ik moet Ice helpen met het hoofdgerecht van tafel drie.'

Rik wist dat het uitserveren van gerechten aan tafels tegelijk moest gebeuren. Het was een ongeschreven wet dat gasten gelijk konden beginnen met eten. Ice liep al met vier volle borden de eetzaal in.

'Ik ben zo terug!' Giovanni rende de keuken in en kwam even later met drie volle borden aanlopen.

Rik besloot de drankjes zelf in te schenken en stapte achter de bar. Even later liep hij de eetzaal in waar Ice en Giovanni de borden hadden uitgeserveerd. Zo te zien gebeurde dat verkeerd en moest Giovanni twee borden omruilen.

Terwijl hij zijn drankjes naar tafel twee bracht, zag hij

Jasmin naar de bar lopen en drie cola pakken. Ze sloeg wat aan op de kassa en nam de drie flesjes mee naar de keuken.

Als een donderslag drong het tot hem door wat ze gedaan had. De kassa! Ze had de drankjes op de kassa aangeslagen. Als het goed was, had ze dat gedaan onder Tons naam. Ton ging over de keuken en alle drankjes die naar de keuken gingen kwamen op Ton zijn naam. Dat wist hij. Jasmin sloeg aan onder Ton zijn naam!

Hij dacht aan de champagne die hij zogenaamd had uitgeslagen. Zijn naam was gebruikt in de kassa en stond ook op de bon. Maar dat wilde dus niet zeggen dat hij het ook was geweest. Wat Jasmin kon, kon een ander ook.

Rik voelde zijn handen trillen. Dat was het! Een van z'n collega's had dus makkelijk op de kassa kunnen rommelen onder zijn naam.

'Tafels acht en vijf willen betalen,' riep Ice die met vuile glazen aankwam. 'Neem jij die?'

Rik was al weg. Hij had geen tijd om na te denken. Eerst moesten alle gasten bediend worden. Maar hij zou het onthouden. Dat iedereen elkaars naam kon gebruiken op de kassa klopte natuurlijk niet. Daar moest hij Ted over inlichten. Later op de avond, als de gasten weg waren.

Tegen halfelf werd het rustiger. De meeste gasten waren klaar met eten en genoten van hun koffie. Nog een halfuurtje en dan waren ze allemaal weg, bedacht Rik.

'Pfff, wat een avond,' zuchtte Ice toen ze de gasten van tafel vier netjes had uitgelaten. 'Mag ik een colaatje?'

Giovanni opende een flesje en zette het op de bar.

'Dank je.' Ice klokte de inhoud van het flesje in een keer naar binnen. 'Ik ben uitgedroogd,' hijgde ze.

Rik keek op zijn horloge. Dat gedoe met Jessica zat hem niet lekker. Was Ted nu al gebeld? Giovanni scheen zijn bezorgdheid te delen. 'Mijn vader zit al de hele avond op zijn kantoor.'

Ze knikten naar een groep gasten die vertrok. 'Tot ziens,' zei Ice.

'Tafel negen wil afrekenen,' zei Giovanni. 'Ik ga wel.' Hij sloeg de kassa af en liep met de bon de eetzaal in.

Ice kwam dichter bij Rik staan. Ze tilde haar been op en streek met haar voet langs zijn kuiten. 'Bezorgd?'

'Ja,' zei Rik. 'Jij niet dan? Als ik Bartje moet geloven wordt Jessica gedwongen om...' Hij stokte en dacht aan de zoen van Jessica. Vanmiddag had hij zich verbaasd over haar veranderde houding toen ze hem zoende. Zo zelfverzekerd en overrompelend dat hij wel moest toegeven. Nu begreep hij dat het voor haar routine was. Ze deed dit vaker... voor geld.

En opeens wist hij waar zijn tientje gebleven was. Jessica had het uit zijn zak gehaald toen ze zoenden. Haar armen om hem heen, haar handen die over zijn broek streken. Hoe simpel was het voor haar geweest om hem af te leiden met haar zoen.

'Wat is er, Rik?' Ice' stem deed hem opschrikken uit zijn gedachten. 'Wat denk je?'

'O... eh... niets. Ik zag opeens voor me hoe ze...' Hij schudde zijn hoofd.

Ice kroop dicht tegen hem aan en sloeg haar arm om zijn middel. 'Niet doen. Daar help je niemand mee.'

Rik haalde diep adem. Ice had gelijk. Dat tientje was lang niet zo erg als de problemen van Jessica.

'Wacht je straks op me?' Ice' stem klonk zwoel. 'Kun je mij helpen met mijn scooter?'

'Wat is daarmee dan?' Rik vond de aanraking van Ice fijn.

'Niks,' zei Ice. 'Maar ik moet toch wat verzinnen om je bij me te houden? Ik wil die zoen van vanmiddag straks graag nog een keer overdoen.'

Rik glimlachte. 'Daar hoef je geen smoes voor te verzinnen, hoor!' Hij keek naar Giovanni die met zijn rug naar hen toe stond en gaf Ice een vluchtige zoen op haar wang. 'Wat Jasmin met Ton kan op de parkeerplaats, kunnen wij ook.'

Ice keek verrast op. 'Wat bedoel je?'

Rik wist nu dat hij Ice in vertrouwen kon nemen. 'Ton doet het met Jasmin,' zei hij.

'Nee? Echt?' Ice schoot in de lach. 'Hoe kom je daar nu bij?'

'Ik heb het zelf gezien. Ze duiken samen het washok in, spreken na afloop stiekem af in zijn auto, hij zit constant aan haar en nog durft die griet te beweren dat ik me vergis.'

Giovanni kwam teruggelopen en sloeg iets aan op de kassa. Behendig stopte hij het geld in de kassa en propte een briefje van tien in de fooienpot. Terwijl de gasten vertrokken, schoof hij de fooienpot over de bar naar Ice

'En die fiets?' Rik wilde nu alles weten. 'En het washok?'

'Ik kom op vrijdag van mijn moeder en dus ben ik op de fiets. Soms rijd ik met mijn vader mee, maar ik fiets ook wel eens naar zijn huis. Of de fiets gaat achterin. In het washok kreeg ik al op mijn kop voor mijn geflirt met jou, maar in de auto van de week werd dat nog eens dunnetjes overgedaan door mijn vader. Hij vertrouwt niemand meer sinds dat gedoe met die fooienpot. We hadden het dus over jou.'

'Over mij?' Rik fronste zijn wenkbrauwen.

'Ja, is dat zo gek? Hij was het er niet mee eens dat ik onder werktijd met je flirtte, maar ik heb hem ervan overtuigd dat er niets aan de hand was.' Ze gaf hem een knipoog. 'Je weet wel.'

Rik deed een stap naar voren. 'Het spijt me dat ik te snel mijn conclusies trok over jou en Ton, maar dat geldt ook voor jou.'

'Hoezo?'

Rik grijnsde. 'Ik val niet op jongens. Ik heb werkelijk geen idee hoe jullie daarbij komen. Hoe leuk ik Giovanni ook vind...' Hij gaf Giovanni een knipoog. 'Ik val toch meer op meiden.'

'Hmm...' Jasmin glimlachte. 'Oké, excuses aanvaard. Wel sportief.' Ze kwam vlak voor Rik staan. 'Dus je hebt misschien toch interesse? Ik ben nog vrij en mijn vader praat ik wel om.'

Rik voelde de ogen van Ice in zijn rug. 'Eh... nee, dank je. Ik denk dat we dat maar niet moeten doen.'

'Ik dacht het ook niet,' zei Ice vastberaden en ze kwam naast Rik staan.

Jasmin keek van Ice naar Rik. 'Is er nu iets wat ik niet weet? Ik vraag het maar, voordat ik weer de verkeerde conclusies ga trekken.'

Ook Giovanni was alert. 'Ja, Ice... missen we iets?'

Rik sloeg zijn arm om Ice heen en trok haar naar zich toe. 'Zo duidelijk genoeg?'

'Een setje!' Giovanni sloeg op de bar. 'Ik wist het, ik wist het!'

'Jammer,' zei Jasmin en ze liep heupwiegend naar de keuken.

'Ik wil wel!' riep Giovanni. 'Hé, wacht eens even, Jasmin!'

Terwijl Giovanni achter Jasmin aan rende, trok Rik Ice naar zich toe. 'Vond je het erg?'

'Wat?' vroeg Ice. 'Dat ze het nu weten van ons?'

Rik knikte.

Ice vleide haar hoofd tegen hem aan. 'Nu hoeven we tenminste niet meer geheimzinnig te doen, toch?' Ze gaf Rik een zoen in zijn hals. 'Kunnen we gewoon op de parkeerplaats afspreken.'

'Ik weet wel leukere plekken,' fluisterde Rik en hij trok haar naar de hoek van de bar, zodat ze uit het zicht waren van de eetzaal.

'Het washok?' zei Ice. 'Of...' Verder kwam ze niet. Rik had zijn lippen op haar mond gedrukt en zoende haar. Ze beantwoordde zijn zoen meteen en Rik voelde haar lichaam ontspannen. Ice was geweldig! Ze was lief, spontaan, slim en een tikkeltje brutaal. Hij moest toegeven dat hij smoorverliefd op haar was. 'Ik ben smoor op je,' fluisterde hij.

'Ik ook op jou,' zei Ice en ze drukte haar lippen weer op zijn mond.

Op dat moment ging de voordeur open.

'Jessica?' Giovanni, die net kwam aanlopen uit de keuken, bleef verrast in de gang staan.

Jessica kwam, begeleid door een man en een vrouw, het restaurant binnen. Giovanni draaide zich om, liep naar de deur van zijn vaders kantoor en opende die zonder te kloppen. 'Pap? Jessica is er. Ik denk dat je even moet komen.'

Ice en Rik kwamen achter de bar vandaan.

'Hee, Jessica,' zei Rik en ook Ice begroette haar collega. Jessica zei niets. Rik probeerde haar blik te vangen, maar ze leek dwars door hem heen te kijken. 'Zijn dat je ouders?' probeerde Rik nog, maar het was tevergeefs. Jessica bleef strak voor zich uit kijken.

Ted kwam zijn kantoor uit gelopen en liep op het gezelschap af. 'Goedenavond, meneer en mevrouw Donkers.' Hij gaf de man en de vrouw een hand. 'Kom verder.' Ook Jessica werd begroet. 'Zullen we naar mijn kantoor gaan?'

Voordat iemand iets had kunnen zeggen, verdwenen Jessica en haar ouders met Ted het kantoor in en ging de deur achter hen dicht.

'Wat zou er aan de hand zijn?' Giovanni keek nieuwsgierig naar de deur. 'Waarom komen ze hierheen?'

'We zullen het zo wel horen,' zei Ice. 'Ondertussen ruimen we op, goed? Dan is dat maar vast gedaan.'

Zonder een antwoord af te wachten pakte ze de emmer. 'Ik doe de tafels wel.'

Rik pakte de bezem en Giovanni begon met het spoelen van de glazen.

'Is het nog wat geworden met Jasmin?' vroeg Rik toen hij Giovanni passeerde.

Giovanni schudde zijn hoofd. 'Nee, niet echt.' Hij haalde zijn schouders op. 'Geeft niets. Ik ben het wel gewend. Meiden vallen nu eenmaal op van die softies zoals jij.' Zijn ogen glinsterden en Rik begreep dat dit een geintje was. Hoewel hij het niet leuk vond, kon hij het opbrengen om te glimlachen. 'Ja, jij bent ook zo'n stoere, onbereikbare jongen.' Met een knipoog en het verzoek of hij de toiletten even wilde doen, liet hij Giovanni verbaasd achter.

Toen alles opgeruimd was, begaven Ice, Giovanni en Rik zich naar de keuken. Ton veegde net de laatste sporen van zijn fornuis en Bartje bracht het schone bestek naar de bestekbak. Jasmin duwde de natte doeken in een waszak.

'Zitten ze nog steeds in het kantoor?' vroeg Ton. Hij zette de keukendeur wagenwijd open, zodat ze zicht hadden op de deur van Teds kantoor.

'Ja,' antwoordde Giovanni en hij keek op zijn horloge. 'Dat wordt toch nog een latertje.'

Rik keek naar Ice. Het was zondagavond. Hij kon het niet al te laat maken. Zijn ouders hadden een afspraak met hem over de zondagavond en die wilde hij niet breken. Wilden ze hier blijven wachten tot Jessica naar buiten kwam? Maar dat kon nog wel een uur duren. Liever dan wachten wilde hij met Ice naar buiten.

Ice leek zijn gedachten te lezen. 'Wij hoeven toch niet te wachten?'

Ton schudde zijn hoofd. 'Nee, Jasmin en ik gaan ook zo.'

Rik glimlachte. Een paar uur geleden had hij deze zin nog heel anders opgevat. Vreemd eigenlijk hoe snel je soms verkeerde conclusies trekt.

'Bartje wil wachten,' zei Bartje. 'Bartje wil Jessica zien.'

Op dat moment zagen ze de deur van het kantoor opengaan.

'Daar zul je ze hebben,' zei Giovanni.

Bartje wilde de gang in rennen, maar Ton hield hem tegen. 'Blijf maar even hier, Bartje,' zei hij. 'Ik ga eerst even vragen of de situatie zich daarvoor leent.'

Terwijl hij de gang in liep, mompelde Jasmin de woorden van haar vader na. 'Of de situatie zich daarvoor leent? Wat bedoelt hij daarmee?'

'Hij gaat even vragen hoe het is,' legde Ice uit.

'O!' Jasmin knikte. 'Tuurlijk, dacht ik al.'

Even later kwam Ton terug, met achter hem Jessica en haar ouders en als laatste Ted.

'Gio, schenk jij even wat in voor ons?' vroeg Ted. 'Haal maar een sapje en wat glazen.'

Giovanni was al weg.

Bartje liep naar Jessica toe. 'Jessica is verdrietig?'

Jessica glimlachte. 'Nee, Bartje. Jessica is blij.' Ze streelde Bartje over zijn hoofd. 'Heel blij.'

Bartje klapte in zijn handen. 'Was Jessica verstopt?' Jessica knikte. 'Ja, ik was verstopt. Dankjewel, het was een heel goede verstopplek.'

'Rik is mijn vriend,' zei Bartje. 'Rik mocht het geheim weten, toch?'

'Ja, Bartje. Ik ben blij dat je het Rik verteld hebt. Rik is ook mijn vriend.' Ze keek naar Rik en glimlachte. Wat ongemakkelijk haalde ze een briefje van tien euro uit haar tas. 'Hier, die had je nog van me tegoed.'

Wat ongemakkelijk pakte Rik het aan. Ice, die vlak naast hem zat, pakte zijn arm en legde haar hoofd op zijn schouder. De fronsende blik van Jessica vertelde hem genoeg.

'Ik begrijp het,' was alles wat Jessica zei. 'Gefeliciteerd.'

Ted legde een hand op Jessica's schouder. 'Er is veel gebeurd en het is gelukkig goed afgelopen.'

Niemand zei iets. Giovanni die terug kwam lopen met een dienblad vol glazen en een fles sap, ging snel zitten. Terwijl hij de fles opende en de glazen volschonk, begon Ted te vertellen.

'Jessica heeft het de afgelopen tijd niet makkelijk gehad. Haar vriend...' Hij wachtte even. 'Iemand die de benaming vriend niet waard is, heeft Jessica gedwongen dingen te doen die ze liever niet wilde.' Ted kuchte. 'Zonder in details te treden, kan ik jullie vertellen dat

Jessica de laatste weken op zoek was naar geld... thuis, maar ook hier op haar werk.'

'De fooienpot!' riep Jasmin en ze keek triomfantelijk in het rond. 'Nu snap ik het.'

Ton legde een hand op zijn dochters arm en gebaarde dat ze stil moest zijn. Met een beledigd gezicht kruiste ze haar armen voor haar lichaam. 'Sorry, hoor!' Ted ging verder. 'De fooienpot ja, maar ook nog wat andere dingen, zoals het afslaan van dingen op de kassa onder iemand anders zijn naam, het meenemen van dure flessen wijn en whisky. Ik ben blij dat Jessica mij alles verteld heeft. Ze zal er samen met haar ouders voor zorgen dat alles wordt terugbetaald. Daar heb ik alle vertrouwen in. Het belangrijkst is dat de sfeer die de laatste tijd om te snijden was hier, opklaart. We hoeven elkaar niet meer argwanend aan te kijken. Zo'n werksituatie is nooit leuk.' Hij keek naar Rik. 'Vooral voor jou moet dat een opluchting zijn.'

'Het spijt me,' zei Jessica en ze keek naar Rik. 'Ik had het nooit moeten doen. Jullie zijn zulke goede collega's. Ik...' Ze stokte. 'Ik kan het moeilijk uitleggen, maar ik kon niet anders. Hij dwong me.'

'Hij?' Het was eruit voordat Rik er erg in had.

'Een jongen die ik begeleidde via mijn stage,' ging Jessica verder. 'Hij vond me leuk, gaf me zo veel lieve aandacht dat ik dacht...' Ze stokte. 'Hij zei dat hij van me hield en ik geloofde hem. Het begon met kleine dingen. Een cd voorschieten, of een rekening betalen bij vrienden. Ik was gek op hem en vond het in het begin niet meer dan normaal dat ik af en toe bijsprong. Hij had het tenslotte niet zo breed. Maar op een gegeven moment werden de bedragen groter en werd hij boos als ik niet wilde meewerken. Pas later ontdekte ik dat hij zich niet aan zijn therapie hield en weer gokte. Hij werd steeds dwingender. Ik moest hem elke dag geld geven. Hij dreigde mijn zusje iets aan te doen als ik niet...' Ze snikte en haar moeder sloeg een arm om haar heen. Wat ongemakkelijk bleef iedereen zwijgen.

'Ik probeerde hem te ontlopen, maar hij was er altijd.' Ze keek naar Bartje. 'Alleen bij Bartje was ik veilig.' Ze haalde diep adem. 'Ik dacht dat ik hem kon helpen,' fluisterde ze. 'Ik ben zo stom geweest.'

Ted schraapte zijn keel. 'Om een lang verhaal kort te maken: na weer een confrontatie met die jongen vanmiddag is Jessica weggelopen. Ze heeft zich in de kamer van Bartje verstopt, waar haar ouders haar hebben gevonden.'

Hij keek naar Bartje. 'We zijn allemaal reuzetrots op Bartje dat hij dit heeft gedaan voor Jessica. Zijn kamer was een veilige plek voor haar.'

Bartje straalde. 'Jessica is lief. Jessica mag altijd verstoppen.'

'Ja, Bartje... Jessica is lief en jij bent een echte vriend voor haar geweest.'

Ted keek naar Jessica. 'Jessica heeft de naam van die jongen doorgegeven aan de politie en hij wordt op dit moment opgepakt. Hoe het verder zal gaan weten we niet, maar voor nu is er even rust.'

Hij pakte een glas sap. 'Laten we proosten op de goede afloop.'

De anderen volgden zijn voorbeeld en ook Jessica pakte een glas. Bartje dronk zijn glas in één teug leeg. 'Bartje had dorst.'

'Je hebt een snor op je toet,' zei Jessica en ze veegde Bartjes mond schoon.

'Lekker toetje,' zei Bartje. 'Ik heb een lekker toetje, toch? Heeft Jessica nog kusjes?'

Jessica lachte wat verlegen. 'Ja, Bartje, maar die zijn vanaf nu gratis, goed?' Ze gaf hem een kus op zijn wang.

'Dankjewel voor alles en ik beloof je dat ik al je geld terugbetaal. Het was niet eerlijk van me om je te laten betalen voor die kusjes.'

Bartje sloeg zijn armen om Jessica heen. 'Is Jessica nu niet meer verdrietig?'

'Nee, Bartje. Ik ben nu weer blij.'

Bartje keek naar Ted. 'Jessica was stout, maar nu is ze weer lief. Mag Jessica blijven werken?' vroeg Bartje.

'Ja,' zei Ted. 'Jessica mag hier blijven werken. En van wat ik van Rik en Ice heb gehoord, kan Jessica ook heel goed bedienen.'

Jessica worstelde zich uit Bartjes omhelzing en keek op.

'Wat mij betreft mag je vanaf volgend weekend meehelpen in de bediening,' ging Ted verder.

'Dankjewel,' stamelde Jessica.

'Wie gaat er dan afwassen?' vroeg Jasmin en ze keek een beetje beledigd.

'Rustig maar,' lachte Ted. 'Jij blijft gewoon in de keuken je vader assisteren. Daar ben je heel goed in.'

'Bartje afwassen?' riep Bartje. 'Mag Bartje water spoelen? Bartje kan dat heel goed. Jessica heeft het laten zien. Mag dat?'

Ted keek heel even naar Ton die geruststellend knikte. 'Vooruit, dat mag. Bartje wordt bevorderd tot spoelmachinedirecteur.'

Bartje straalde. 'Bartje wordt directeur!'

Ook Jessica moest nu lachen. 'Dat kun je heel goed, Bartje.'

'Ja,' zei Rik. 'En wij gaan ervoor zorgen dat je lekker kunt blijven spoelen!' Hij was blij dat alles was opgelost. 'En nu ga ik naar huis,' vervolgde hij en hij keek met een schuin oog naar Ice.

'Ik ook,' zei Ice en even later liepen ze samen de parkeerplaats op.

Rik liet de deur achter zich dichtvallen en sloeg zijn arm om Ice heen. 'Wat een verhaal, zeg.'

'Ik zei het je toch,' zei Ice die dichter tegen hem aan ging lopen.

'Ja, je hebt gelijk.' Rik stond stil en draaide Ice naar zich toe.

Ice lachte. 'Als je dat maar weet.'

Ze sloeg haar armen om Rik heen en zoende hem. Haar lippen leken gretiger dan ooit. Rik zoende gewillig mee en even leek de tijd stil te staan.

'Tafel zeven, drie cola!' Een luide stem schalde over de parkeerplaats.

Rik en Ice lieten elkaar los en keken verbaasd naar de deur waar Ted met twee enveloppen naar hen zwaaide. 'Sorry dat ik stoor,' lachte hij. 'Maar alleen zo horen jullie mij. Ik heb nog wat voor jullie.'

Ted liep naar Ice en Rik en gaf ieder van hen een envelop. 'Met mijn hartelijke dank voor jullie hulp. Ik hoop dat ik het komende weekend weer op jullie kan rekenen?'

Rik pakte de envelop aan en opende die. Een blik op de inhoud vertelde hem genoeg. 'Dankjewel,' zei hij en zijn ogen twinkelden. 'Was er zo veel fooi?'

Ted schudde zijn hoofd. 'Nee, maar ik heb het iets naar boven afgerond. Ik ben zo blij dat alles goed is afgelopen. Jullie zijn kanjers.'

Ook Ice had in haar envelop gekeken en bedankte Ted.

'Ik zal jullie niet langer storen,' zei Ted met een knipoog. 'Dag!'

'Dag,' zeiden Ice en Rik tegelijk, terwijl Ted weer naar binnen ging. Wat verbaasd bleven ze staan.

Rik was de eerste die iets zei. 'Waar waren we gebleven?'

Ice sloeg haar armen om hem heen. 'Hier!' Haar envelop wapperde in zijn nek, maar hij merkte het niet. Zijn aandacht ging volledig naar haar mond. Ice zoende geweldig! Rik voelde zijn lichaam tintelen. Dit was een weekend om nooit meer te vergeten.

Hij had het van tevoren niet zo bedacht, maar zijn baantje in het restaurant had hem veel meer opgeleverd dan alleen maar geld. Niet alleen voelde hij zich veel zelfverzekerder en had hij het liefste en leukste meisje van de wereld als vriendin, hij besefte maar al te goed dat hij ertoe deed! Samen met al zijn collega's maakte hij van het restaurant een succes. Rik drukte Ice nog steviger tegen zich aan. Hij had een topjob!

Lees ook van Marion van de Coolwijk:

Een bruisende serie vol spanning, liefde
en meidenzaken!

13+